こちら葛飾区亀有公園前派出所 ㉑

秋

集

こちら葛飾区
亀有公園前
派出所㉑

目次

ヤマトダマシイ!の巻

先輩
へんな人が
たずねて
きてます
が………
んが!
ちぇっ
ゆっくり
ひるねも
できや
しねえ
そのくらい
おまえ
ひとりで適当に
おいかえせよ
それが
外人
なんです
外人だと!?
なんで外人が
派出所に
用があるんだ
なんでも
テキサスの
新聞記者で
取材に
きたとか………
スパイじゃ
ねえのか…
おまえ
なんの用だ
CIA《シーアイエー》か?
オー
ハロー

私はテキサスの新聞記者で日本の警察活動について取材中ですぜひご協力お願いします！
なんの取材だいったい
日常の勤務や日本における警察力と治安の取材です
そういうむずかしいことは本庁の広報課へいってくれバイバイ
オー広報でもことわられましたお願いします
消火器
せっかくテキサスで最高のバーボンもってきたのに 残念
他の派出所へいってみます…
ピクッ
あんたじつに運のいい人だ！
なにをかくそうこの私は警視庁の外人記者担当係だよなんでもききたまえ
この顔にピンときたら 警視庁 110番
ドーン
こりゃいい酒だ さすが本場最高！へへへ…
さあきいてくれなんでも話すぞ 警察の秘密でもなんでも
日本のポリスはワイロに弱いニューヨークなみ……と

ん？なにコソコソやってんだ
なあにちょっとメモね
おい　中川《なかがわ》コーヒーくらいだせよ　わざわざアメリカからいらっしゃったんだ！本場のネスカフェをいれてやれ
!!
故障中
は　はい
ノー　ノー　私　コーヒーより　お茶がいいです　ほうじ茶
そうか
それと　米屋《よねや》のヨウカンなんかあればベリーグッド　文銭堂《ぶんせんどう》のせんべいもグッドです
なかなかくわしいやつだな
さあ　どこからでもきいてくれ　警視総監《けいしそうかん》も友だちづきあいだからな　わしに　わからんことは　なにもない………
サンキューたすかります
この調査は外勤ポリスひとりにスポットあててその生活　勤務意識を研究するつもりです
よろしい　私なら　日本警察の代表になりうる人物だから研究材料にもってこいよ
まずネームと階級を………
両津勘吉《りょうつかんきち》警視長

ケイシチョウ……といいますと……？
わかりやすーくいうと総監《そうかん》の次にえらいわけたとえていえば清水《しみず》の次郎長《じろうちょう》一家の大政《おおまさ》みたいなもんだな…
オー私ナニワ節も大すきですよーくわかります
私がいる限り日本の治安は心配無用家内安全言語道断はい次！
あなたのうまれたところはどこですか？
江戸《えど》っ子よ浅草《あさくさ》は千束《せんぞく》のうまれだ！
浅草ったって外人さんにゃわかるまい日本の首都浅草よ！
ノーノーわかりますアサクサしってますカミナリオコシアサクサノリ名物ね
くわしいなおまえ
そりゃあもういろいろと
KONO KOMA WA ATO KARA KAKITASHITA MONODESUU! MENDÔ DA!
ARO HIROSHI

デンポウインドオリの大黒屋《だいこくや》の天プラ大変おいしいね
新仲見世《しんなかみせ》通りの丸屋《まるや》という和服のお店いい品たくさんね
カンノンサマ左にいくと　ダルマヤという店がある
ここのヤキソバ最高ね
ソコ右10メートルくらいいくと
カンノンオンセンある
私はカズちゃんの店すきね　下町風で最高ね!
おまえ浅草にすんでいたのか?
ノー　きのう日本にきたばかり
私　日本大すき　アメリカで日本に関するガイドブックすべてよみました　なんでもしってます
そういえば日本でもニューヨークの裏町までのってる本もでてますからね
わしよりくわしいとはおそろしい
あなたは警察に対して要求や希望がありますか?
そうだね　休日がほしいね
"警察感謝の日"とか……ズバリ"お巡りさんの日"
その日は日本中の警察を休みにしてハワイにでもいくとかね
今　組合で運動しているところだがなかなか………
なるほど　革新的な考えですね

アンド！
現在は
3交代制
勤務だが
これを
24交代にして
ほしい
そうすれば
ひとり1時間
勤務すれば
いいわけだ
まさに
合理的！
そうすると
人員が
たりなく
なるのでは
だから
試験など
廃止して
はいりたい
やつはドンドン
警察学校に
いれる
それでも
たりなければ
徴兵制にして
若者を
かたっぱしから
警官にする
警官を
うじゃうじゃ
ふやして
町の10メートル
おきに
派出所を
たてる
そうすりゃ
悪いことも
できんよ
まあ
総人口の5割…
ふたりに
ひとりは
警官というのが
理想だ
男女を
とわず
ですか？
国民全部が
警官になれば
いいのだが……
それじゃ 仕事に
ならんからね
まあ……
5割というのが
妥当な線
だろう
それは
日本の
ポリスマン
たちが みんな
考えている
ことですか
だから
いっとるじゃ
ないか
きみィ!!
私のことばは
日本警察を
代表する
ことばだと
！
先輩
いいんですか
そんなこと
いって！
かまわんよ
どうせ
アメリカの記事だ
日本にゃわからん

どうも ありがとう たいへん 参考に なりました
わからない ことが あったら いつでも 私に ききたまえ
あれだから 日本人は 誤解 されるんだよ!
先輩 派出所に 馬が はいって きました!
なんだと!
うわっ 馬だ!
このやろう 競馬場から にげだして きやがったな!
ノー ノー それは 私の 愛馬です
なに!? すると アメリカから つれて きたのかっ
イエス 車の かわりね

わがテキサスではどこいくにも馬ね！通勤も馬でいくね
なるほど土地が広いからな
アメリカ大陸もこの馬なら3時間ねコンコルドより速いね
テキサスのやつはホラもでかい
なんなら実演しましょう浅草まで3分でいってみせるよ
よせっやめろ！
東京《とうきょう》のど真ん中を馬でつっぱしられたらこっちがクビだ！浅草いくなら車でいけよ
ノーノー車だと高い電車のほうが安い
ここからだと地下鉄千代田《ちよだ》線で北千住《きたせんじゅ》までいって一番はじの東武《とうぶ》線にのりかえて7つ目の終点でおりる…
あるいは亀有《かめあり》駅南口から浅草寿町《ことぶきちょう》いきのバスがでているそのほうが楽ね
ヘタにしっているだけに話しづらいやつだよあいつは…

部長がそろそろくるころですよ馬が そこにいることがわかったらどやされますよ
そうだやばいぞ!
おいパトロールにいくぞいっしょについてくるか?
OK《オーケー》OK《オーケー》
ヘイ!ミスターリョウツうしろにのるといいね
え!
馬なんてのったことないぞっ
だいじょうぶ!カム オン
まるで西部劇《せいぶげき》の主人公のような気分だな
パカッパカッ
パカッパカッ

ちょっとそこでとめてくれタバコをかう
OK《オーケー》
パカパカ
おいマイルドセブンひとつくれ
ぎょっ
タバコ値上さんせい!
どうですのりなれると馬は最高でしょう
うむ
パカ
パカ
なかなかラクチンはっはは
パカ
パカ
ゴキッ
いいわすれましたが時どきあばれるので注意してください
もう おそい ばかもの!

やはり わしは あるくよ 馬は 券を かうだけで 十分だ!
たばこ
パカ
パカ
くすり
記者さんよ ハラへったろ メシでも くおうか!
パカ
サンキュー ちょうど おなかが すき ました
こっちとら きのう 給料はいった ばかりだ ハンバーグでも ステーキでも なんでも おごるぜ なにが たべたい?
そうですね サケの塩やきに 納豆 それと シジミの みそ汁 たべたいです
えらく 日本じみた のが すきなん だな…
日本食 たいへん おいしいね
民家食堂
それじゃ こんな感じの 店で いいだろう
にこみ やきとり
食堂
かすとり

ガラ
らっしゃい！
ホッピー
HOPPY
ジロ
ジロ
みなさん私のことみてますなぜですか
ここじゃ金髪の外人さんがめずらしいんだよ
サケの塩やき定食納豆
わしはハンバーグランチ！
それとビールもらおうか
はい
日本人はなぜ よくはたらくかようやくわかりましたよく ねるからです
ん!? どうしてだ……
みてみなさいあんな幼児のうちからどこでもねむれるように 育てられてますだから日本人は電車でも車の中でもねてしまうのです

テキサスでは部屋を暗くしてママがおとぎ話をしてくれないと子どもはねません
日本のガキのほうが野性に近いっていうのかよ
それに食事も早いまるで早ぐい大会のようです消化に大変よくない
日本人は昔っから早メシ早グソ芸のうちってな 特技のひとつよ
へいビールおまち
トン
さっ記者さんよいっぱいいこうぜ！
いえ私は日本酒以外ダメなんです
どうも調子がくるっちまうな！
じゃあひとりでのむか…
トクトク
はいハンバーグランチ
いよまってました！
パチパチ
しかし食事をみたかぎりでは完全に日米がいれかわってるよ

犯人逮捕の現場を取材したいのですが…
犯人逮捕の現場だと
そう都合よく事件がおこるはず……
ん!
ピ
カレイライス
おい!チャンスだこの近くで事件だいくぞ
オーノーまだたべおわっていません!
ダッ
だから早メシは芸のうちといったろ!日本人は気が短いんだ早くしろ
タイム イズ マネーね消化どころじゃないね!
なんの事件ですミスターリョウツ
バイクでひったくりだ!
うわっ

うわーっ
単車ならこの馬ですぐおいつくねあるくより早い！
そりゃもっともな話だ！
場所わかりますか
6号線をにげてるとのことだ
ドドガガッ
よくつかまってくださいねふりおとされたらバラバラよ！
わかってるよ！
うわっ
う馬が…

うわっ
ズダダッ
馬がふってきた!
こっちいったほうが近道ね!
さすがにくわしい!
だいじょうぶかっあんたこそ!
テキサス一のロデオの名手ね!すぐおいつく!
ヘーイエクスキューズミー!!
ギイイー!
ドガガッ
うわっ

いた
あのバイクだ
ナンバーも
ピタリ！
グオオ
おい
バイクの
真上に
ジャンプ
できるか
もち
ろんね
ドガガ
OK《オーケー》
すぐ
おいつく～！
犯人
逮捕の
現場を
みせて
やるからな
グッ
やろう
―っ
このっ！
オー
まさに
ニッポンの
カミカゼ！
ぎゃあ

★週刊少年ジャンプ1980年12号

!?の巻
COMBAT TEAM

み仏の心
CCI
RUGER

キィ
ちょっとまっててくれ ここにしりあいがいるから
はい
おーい 両さんいるか 両さん!
ちょっと きてくれよ
なんだ 両津にボウズのしりあいがいるのか
さあ
なんだなんだ 朝っぱらからうるせえな
ガラ…

いやあ ひさしぶり 元気そうだな! おれだよ!
よせよ おれに ボウズの 友人なんか いないぞ はなせよ
あっ
わすれたのかよ! オレだよ! ほらっ! オレ!
しらん! しらん! ボウズなど しらん
思いだして くれよ 昔は リーゼントの 頭してたろ
ほら 永《えい》ちゃんの マネして さァ!
ズババババッ バッバッ
ウオーッ 今夜は 祭りだ! イエッ
あっ おまえ…!
そうだよ オレだよ オレ!
民夫《たみお》じゃ ないか おい!
よかった やっと 思いだして くれた!

なんでおまえがボウズのかっこうしてるんだ
わけはあとで話すからタクシー代かしてくれよ
みてのとおりのスタイルだろ一円ももってないんだよ
ちぇっしようのないやつだないくらだ?千円くらいか?
一万八千円だってさ
ばかっそんなにもってるはずないだろうこのっ!
じゃあぼくがたてかえておきますよ
まったくどこからのってきたんだ
どうもごくろうさま
ブロロロッ
なに千葉《ちば》の寺からにげだしてきただと
オレんとこお寺じゃんオヤジがよォ千葉の寺に修行にいってボウズの資格とったら外車かってくれるっていうんだよ
車ほしいじゃんだから頭まるめてその寺にいったんだよ!そしたらひっでえ寺でよ大さわぎよ

なにしろ朝3時におこされて寺のそうじするんだぜ
それがすんだら3時間のお経よォじょうだんじゃねえよっ
頭にきて木魚を8ビートでたたいたんだよそしたら10日間も蔵にとじこめられちまってよ
そりゃあたりまえだよ
それよりなにかたべさせてくれないかなここ2年間精進料理しかたべてないんだよね…
おい中川ラーメンでもとってやれ
ラーメン…うっなつかしいことばだなあやっと文明社会に帰ってきたって実感がわいてきたよ
その寺のあるおそれ山《ざん》からは一歩もでられなかったからな一般人みたのもひさしぶりだよ
とにかく山奥にある寺だからなにげようにも道がわからないしな！森の中で迷って死にかけたこともあったもんなおまけにクマやマムシもでるんだぜもう監獄だぜ
森の中でつかまった時には1か月も蔵にぶちこまれたべ物は水とおも湯だけ！
まるで映画のパピヨンみたいだな
あれよりひでえよなにせお経を朝昼夜とやるんだぞまちがえると棒でたたかれるしよ！しょっちゅうなぐられたよ

ほう 気の短い おまえが よく がまん してたな！
初めのころは 頭にきて 寺のボウズと とっくみあいの ケンカになったよ もちろん！
そのたびに 木につるされたり 池の中に ほうり こまれたり ムダな抵抗は やめることに したんだよ
なにしろ レスラーみたいな ボウズが いっぱい いるからな 拳法やってるのも いるんだぜ かなうわけないよ
はい ラーメン おまち！
わおう これこそ 人間の くい物！
よく そんな ところから にげだせた なあ
こっちも 必死よ！ ボウズひとり 人質にとって 下山してきた そこで 車を ひろったわけ
それじゃ 今ごろ 血まなこに なって おまえを さがしてるん じゃないか
おそらく 山がりでも しているよ！ あの寺から にげたのは オレが 初めて だからな
ズズズ
だから両さん オヤジを 説得してくれよ 外車なんか いらないから あの寺に もどさないで くれって
おまえも かってだな
やっぱり 木魚たたいて いるより バイクのって いたほうが 性《しょう》にあうんだ たのむよ
わかった わかった
あっ オヤジ からだ！
まさか

はい こちら 亀有…
え!? はあ……
チン…
民夫くんは たしかに きてますが はあ…
持出禁止
ほら みろ あたった
寺同士のつながりは すごいんだ 本堂に テレックスと モニターテレビが おいてあったもんな
こりゃあ 説得させるの むずかしそうだな…
ズズー
20
違法駐車 移動

turbo
SAAB
初めて 寺の中に
はいったが
ずいぶんと
広いんだな
お寺ってのは
土地だけは
あるよ！
大地主だね
これが
オヤジの
ベンツだ
法事のとき
のっていく
わけ
すごく
豪勢だな

むこうにもいっぱい車がおいてあるぞ…
あれは駐車場にしてるんだ いずれ墓にするけどそれまでね!
オヤジなかなかの経営者だからな!
あっぼっちゃんもどってきたんですか?
まあな オヤジはどこいったんだ?
今さっきタバコを買いに…
あっもどってきました
ギャギャギャッ

どうもサスがかたい加速は悪くないがな…
バタッ
民夫ぼっちゃまがもどられました
そうか民夫がきたか…
こいつめ！いつ帰れといった!! おまえは まだ修行の身だろ!!
じょうだんじゃないよあんなところにいたら死んじまうよ
おれは寺の住職になんかならないぞ
だめだ絶対になるんだ
ちょいとまった！ここでいいあってもしかたない
きくところによると 相当ひどい目にあったようでここは ひとつ話しあいでおだやかに…
わざわざ民夫をつれてきていただいて世話をかけますお巡りさん
せっかくいらっしゃったのですから奥で お茶でもどうぞ
いや…お寺ってのはにが手で…その…

ずいぶん
お寺も
近代的に
なったな
お守り
御線香
二百円
花
当りくじつき!
古いお守りは
この中へ
合理化
ですな
今に みんな
マネ
しますよ
合理化
ねえ…
お経カセットテープ
ポスターサービス中
葬式用テープ
一家に一本
1,000
午後1時からの
山本《やまもと》家の法事に
おあつまりの方がた
ただ今から
始めますので
ウグイスの間に
おあつまり
ください
小林《こばやし》家
13回忌に
おいでの
お客様
は…
まるで
結婚式場
みたいだな

こちらは大食堂でうらがスーパーマーケットになってます
大食堂
食券
ほかに茶道 華道 お琴…の教室もありますよ
はば広く経営しているんだな
みんなカードをもっているがなんだろう
この寺で法事をすると全員にスタンプがおされるんです
特産墓石コーナー
カードいっぱいにスタンプがたまると墓石が5割引きで買える特典があるんです
高級かる石
高級本御影石
500万円
3,000円
200万円
最後までアフターサービスのいい寺だ
そこでおまちください すぐきますから
ありゃ

なんだ この部屋は 本当に お寺なのか?
いちおう 社長室! うちの寺 株式会社に なってるから
いやあ どうも おまたせ しました
あっ
ははは カツラですよ 仕事がおわった 時は いつも このスタイル です
ケサや衣《ころも》は 本堂や寺に いる時の姿 いわば ビジネススーツ みたいな ものですよ
すごい わりきり 方だ

失礼します 社長！ 赤坂《あかさか》の店舗が 確保できました
おお そうか！
地下鉄 赤坂見附《あかさかみつけ》駅の 近くです ここなら 最高と 思います
さっそく スタッフを あつめて とりかかれ
これで 東京に 5店目に なるな よし よし
キュッ
お寺の チェーン店 でも 始めたのか？
ははは まさか！ ちがい ますよ
うな丼の 吉田屋《よしだや》 ですよ
あの店は 私の経営の チェーン店 なんですよ
ここ2～3年 外食産業は ウナギのぼりに なってるでしょう そこに 目をつけ うな丼チェーンを 始めたわけです
わが社の セールス ポイントは 安さ！ うな丼一ぱい なんと200円！

うな丼が200円だと!? そんなバカな! 信じられん!
信じられんことをやるのが私の商法です なせばなる!!
なぜ そんなに安くできるか… つまり ウナギとドジョウをかけあわせ ニンシンさせて子どもをつくる
メンデルの優性の法則によって ウナギのおいしさ ドジョウの生命力の強さをそなえた子どもが できる
わが社ではこの子どもをドナギとよんでいます
これをジャンジャンふやして低コストでおいしいうな丼ができるわけです
ドジョウ+ウナギ
DONAGI
正式にはドナ丼とよびます
なにやら怪獣みたいな名前だな
DONAGI
そのほかヒヨコの丸煮を親子丼の中にいれて…
親子三代ドンブリというのを新案しましたけど なかなかパッとせず…
鳥肉+玉子+ヒヨコ
三代ドンブリ
そう 自分かってなこと いうもんじゃない 仏の道というものはつらくて 苦しいのだ おまえも 仏の心で世間をみなさい
どんな目でみても やなものは やだ いまどき ボウズなんてダサイよ! ナウじゃないよ!
とにかく 私は事業のほうがたのしいんです そのためにも民夫を 早くこの寺の住職にして…
おれは やだよ! 寺のボウズなんか

墓をつぶしてマンションをたてれば　一生あそんでくらせるぞ
いやだっ
ピク
お坊さんはキャバレーでもてるぞ！女の子がいっぱいよってくるぞ
いやだっ！
東京にこれだけの土地をもっていればな…
あ　あのお話し中ちょっと……
養子…なんてのは考えていますかね住職の…
民夫がどうしてもいやならしかたないだろうな
民夫ポルシェとBMW《ベーエムベー》かってやれば寺にもどるか
ポルシェとBMWねうーむ
キャデラックもつけたらどうだ？千葉にもどる!?
キャデラックか…ん…それなら…
いけません　そんな　車につられるような男はだめだ！
あんたは住職にむいていない！すぐやめろ

いやしくも仏につかえる身でありながらそんな俗な考えなど言語道断！
あんた仏の道にほど遠い！
グッ
ああーなげかわしい神も仏もあったもんじゃない
うーむそうするとこまったな
ううっ
突然ですが私！さきほどのドナギのお話に感動しました！ぜひ仏様につかえる身になりたいと思います
そんなに感動することいったかな…？
私この年になりふっとおろかな自分に気づきました余生は世間のためにつくせたらどんなにすばらしいかと
私昔からお寺がすきで京都《きょうと》の寺などよくみにいきました心があらわれるようでとても…
そうでしたか
よかったらこんど話をききにきなさい
ええ！そりゃあもうよろこんでよろしく!!おねがいします！
両さん本当にお寺にくる気かよ…
そうだよオレが住職になったら小僧にでもつかってやるよ

みなさま朝のおつとめごくろうさまです
あっ
ナンマンダ
ナンマンダ
ど…どうしたんだ両津その頭は!? 空手でもやる気か?
もはや仏に つかえる身の上 髪など 俗です
あなた方に平安で たのしい人生がくるようお経を となえましょう
ナムアミダブ
よせ! タタリでもあったら大変だ!

★週刊少年ジャンプ1980年14号

受験天獄!?の巻

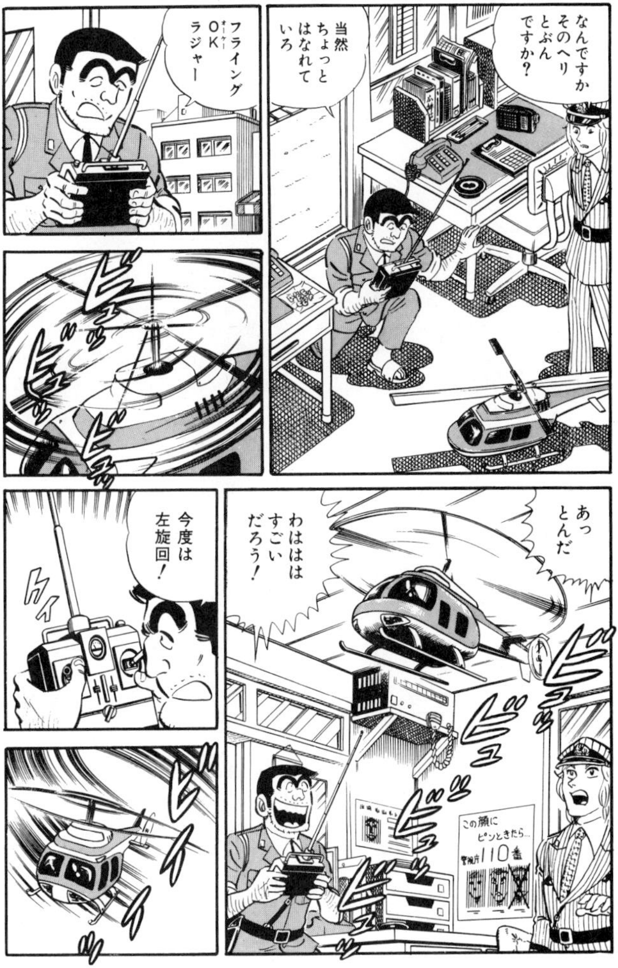
なんですか そのヘリ とぶん ですか?
当然 ちょっと はなれて いろ
フライング OK《オーケー》 ラジャー
あっ とんだ
わははは すごい だろう!
この顔に ピンときたら…
警視庁110番
今度は 左旋回!

うわっ
みよ この軽快な動き！
このハイテクニックな技術！
楽しそうにあそんでいるじゃないか両津…
こ…これは部長いらしてたんですか？
まあな
警察官が勤務中にラジコンであそんでいるなどなみの神経じゃできんワザだな
いやあそれほどでもありませんよ
おまえも少しは将来のことを考えたらどうなんだ
か…考えてますよ…少しは…

一生試験のない巡査長のままでいいのか…幹部へ昇進してえらくなってやろうと思わんのか………
部長になって嫁さんでももらえばおふくろさんたちも安心するぞ わしだって肩の荷がおりるし世間ていだってちがってくるぞ
一所けん命勉強して一度昇進試験をうけてみろ そうすれば…
昔っから試験ってのはハダにあわないんですよ
あおうとあうまいとうけなければ昇進できんのだぞ!
私には私なりのポリシーがあってボイコットしてんです!
そうかね そこまでいうならそのポリシーってやつをききたいね
よろしい お話いたしましょう
私は試験自体に問題が あるとおもいますね 紙きれ一枚で人間をきめられちゃたまりませんよ……
われわれ外勤警官は住民の平安をまもることに命をかけてます
交通安全白書

襟章《えりしょう》の星をふやすよりも地域住民のかがやく星となりたい！それが私の夢です！
試験 試験とネコもしゃくしも目の色をかえる世の中私のような人間が ひとりくらい いてもいいでしょう
試験なんてナンセンス ムダ！無意味！役たたず！人間差別！
私は断固試験を拒否します
私は 私のやり方でやります住民の幸せは私の幸せ！
…以上が私のポリシーです
このラジコンも住民の子どもたちと共通の話題をもつためにやっているのですからね
出発！
みごとな離陸！さすがプロフェッショナル!!
故障中
よほど小さいころ試験で ひどい目に あったんですね
結局試験がきらいなだけのことだ

うわっ
あぶない！
両津！外でやれ たたきおとすぞ
はい はい
ビュッ
ビュッ
お巡りさん…
あんたくさ 八王子《はちおうじ》ってしっとう？ どこね…
なんだ？
浅草の納豆がどうしたって？
納豆じゃなかね 八王子ばしっとろう
おい 中川 二宮金次郎《にのみやきんじろう》みたいのがわけわからんこと いってるぞ……
えっ？

九州《きゅうしゅう》から 東京の大学 受験にきたと 今夜 八王子の おばさんとこば とまるったい
東京は わからんたい 八王子 どこね あんたくさ しっとろが
八王子の どこに あるのかな くわしい 住所は？
しらん 八王子の おばさん だがね あんた しらんと？
有名 たい…
この電話番号 だね！ ちょっと まってね 今 連絡して あげるから
早くしてや ぼくは 受験生の 身の上たい 大事ばい！
ガッ
悪い！ 悪い！ あたった？
なんば しよっとね あんたくさ！
あっ
ゴキッ

ぼくは受験生たい 今ので 頭がパープリンになったらどげんすると!
だいじょうぶ……ショックをあたえたほうが 回転もよくなる
もし もし おたくのしりあいの人が 受験で東京にでてきてますが
えっ? なんですって
受験 前日にとまりにこいといったのは ほんの ことばのハズミじょうだんですよ! 本当に きたんですか?
うちの息子も今年 受験なんですだから その子は九州に帰ってもらってください
そんな…せっかくお宅をたよってでてきたんですよ
うちの息子のほうが 大事ですからね あとはよろしく
よ…よろしくっていっても…ちょっと!
ひどいですよ 家にはとめられないから帰れっていうんですよ
本当かどうするんだ!?
あっ
ガチャッ!

きみのおばさんの家ではとめられないっていってるけど……
それはひどかよお金は帰りの電車代しかなかと……
しかたなかこの派出所にとまることにするばい
えっ今日ここにとまる気かよ
物理
両津しっかりめんどうみてやるんだぞ!
えっそんな!
こまってる人間をたすけるのが警官じゃなかと
うるさい!
まいったなまったく

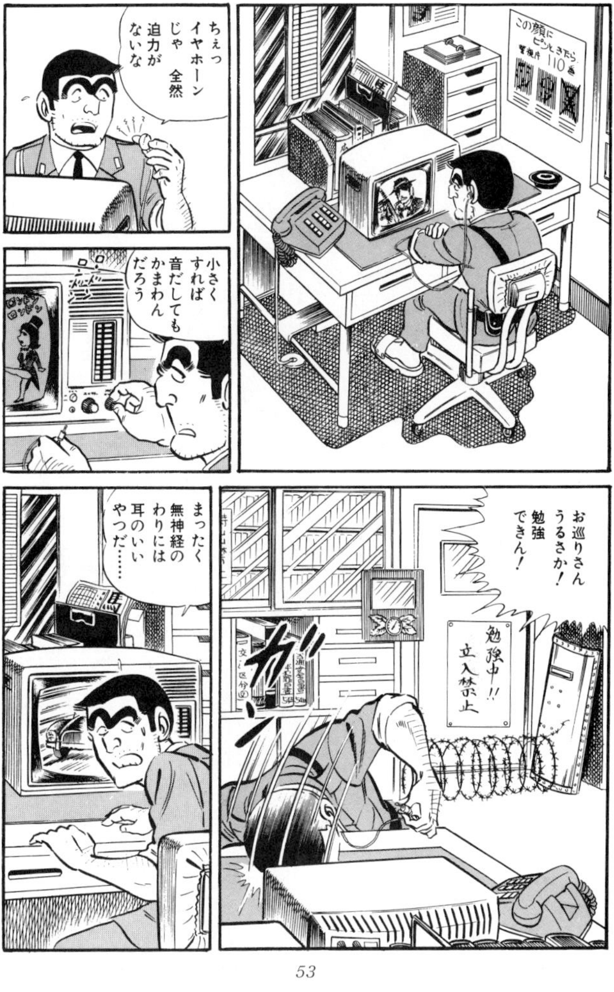

この顔に ピンときたら 警視庁 110番
ちぇっ イヤホーンじゃ 全然 迫力がないな
小さくすれば音だしてもかまわんだろう
お巡りさん うるさか! 勉強できん!
勉強中!! 立入禁止
ガン
まったく無神経のわりには耳のいいやつだ……

まったく
受験生を
かかえた
親の気持ちが
よくわかるよ
おせんべいの音
うるさか!
かまないで
のんだら
よかね!
おまえこそ
うるさいぞ
いちいち!
おまえみたいな
神経質なやつ
うかるはずが
ない!
しーーん。
おや!
ばかに
静かだな
どうか
したのか…?
ちょいと
いいすぎた
かな?
お
おい…
ちょいと
おい……

なんね うるさか! なにか 用があると!?
今のは いいすぎ 悪い!
ん… 今って… なにか いったと?
なにっ 今のが きこえな かったのか?
ぼくの 悪口でも いったと かいね?
い…いや べつに なにも いわん なんでも ない!
ほう ずいぶん こまかい 字が かいて あるな
当然たい 一流大学 じゃけんね むずかしか こつあるよ
お巡りさん コーヒーを いれて くれんね
なんで わしが いれるんだ
自分の のむコーヒー くらい 自分で いれろ!
うぎゃっ もう だめたい!
コーヒー のまんと 勉強できん ばい!
英文法テキスト

もう おちたも 同然ばい! 明日は 山手《やまのて》線にでも とびこんで やるけん!
ゴロッ
わ…わかったよ つくるよ コーヒーつくる
はじめから そういえば よかね ぼくは 泣く子もだまる 受験生なんよ
もっと 大事に せんと いかんよ!
くそ〜 あの やろう
ほらよ のめ! ネスカフェ
ガチャ
インスタント コーヒーは すかんたい
本物を いれて くれんね
コーヒー5 ミルク5の 割合で!
ワンモア プリーズ
いちいち 口うるさい やつだ まったく!
口に はいりゃ なんだって 同じだろうが
ブラジル
少し ぬるいな カフェオレは 70度くらいが 一番いい……
うるさい! さっさと のめっ

今度は おなかが すいたけん 夜食を たのむたい
メシなど いらん さっさと 勉強しろっ
……
うぎゃあ もう 完璧に おちたばい
飢餓《きが》の 状態じゃあ 勉強 やっても ムダたい！
大学入試
一発入学
もう ガス管 くわえる 以外なか！ 明日の朝刊ば 楽しみに しとったら よか！
わかったよ！ つくりゃ いいんだろ！
はじめから そういったら よかね！ こっちは 受験生 なんよ！
カップ ラーメン だからな
ラーメンじゃ 栄養が ないけん 頭の回転も にぶるばい！
それしか ないんだから しょうがない だろう

よか…ぼくが受験生用スペシャル夜食をもってきとるけん
消化にいいうどんばいそしてハム　野菜たまご
そして博多《はかた》名物からし明太子《めんたいこ》ね
うどん
野菜はうどんと同時にいれて　ゆでるとたまごは最後にいれるとよ明太子は目を　さますために　上にのっけておくと　よか
めんどうくせえなあもう！
うどん
ほらできたぞ！
最高たい毎晩　これをたべてるけん！
ズル
ズル
手間のかかるやつだこれでおちたら　目もあてられん
あ…
うぎゃっ気にしてること　ズバリいわれたい！
もう勉強やる気力もなくなるたい！
数学

もう自殺するしか道がなか！大学が青春のすべてばい
悪かった悪かったつい口がすべって……
"すべる"受験生への禁句をいいよったこの人！
そそうじゃない！おちつけよ
今度は"おちる"もう〜〜最悪ばーい
とにかく中にはいれもどってこい
ふうこっちのほうがまいるよまったく
なんだそりゃ？
自作のマイタイたい！多少のアルコールは体によかと
博多ではこれに唐ガラシをふりかけてのむんよ

カラシマイタイコといって体がカッカしてくるたい
目が一発でさめると
あっもう4時になると！
あと6時間しかなかとね
この6時間ですべてがきまるたい！
ここがわかれ道になるとよ
しかしねむかァたべたあとすごくねむか…
ねむっちゃいかんとしりつつ…ねむるのが最高に気持ちよか…
こらっ受験生しっかりしろ！
いきなりなぐることなかろうがパープリンになったらどぎゃんすると！
勉強しろ勉強！
今しようとおもっとったところなのにせっかくおぼえた数式全部わすれたばい
あと6時間だぞ

そ そうだ あと6時間 しかない！
ダッ
こんなこと している 場合じゃ なか！
しかし 睡魔が… おそってきた
$(a-b)^2=(a-b)(a-b)$ $X^2=xX$……
ねむか……
いかん がんばるんだ 根性だせ！ …と おもいつつ ねむりに おちる のが 快感…あ
おい！ しっかり しろ おきろ
頭ば なぐらんでと いっとろうが たたかれる たびに わすれて いきよるが
ねたら いままでの 苦労が パアだぞ
カラシマイタイコ もっと のめ！ ここでの ふんばりが 大切だ！
わかっちょる こうなったら 意地でも がんばる たい！

★週刊少年ジャンプ1980年11号

ふたりの本田!?の巻

正月も勤務だなんていやになるなまったく!
人なみにこっちだって休みたいよちくしょう
去年は、お手紙おハガキどうもありがとうございました。今年もがんばりますのでよろしく。
賀正
馬
しかし寮で休んですわっているのとここですわっているのとたいしてかわらん
モゲモゲ
ここにいりゃあ正月手当てがつくからな…
その分だけ得かもしれんなん…?
あっ本田《ほんだ》じゃないか!?
緊急手配犯人
うわっ
ガシャ

あっ
ドン
正月早そう なにやって いるんだ 白バイで こなかったのか
それが とりあげられ ちゃったん ですよ!
自転車も 満足に のれないいん だからな!
とりあげられた だと? なんで そんなことに なったんだ
ぼくにも なにが なんだか わかりま せんよ
とりしまりで 相手を なぐっただとか… 免許証を 金で 人に うったとか…
全然 身に おぼえの ないことばかり いわれて……
まあ おまえの やり方は 多少 荒っぽいが そんなことは しないもんな
そうですよ せいぜい 相手の車を こわす ぐらいで……
じ…自転車なんかじゃ とても とりしまれ ませんよ……… バイクに のれないんなら いっそ 警官を やめたほうが… うっ…うう
まあ まて! そんなに はやまるな

きっとなにかのまちがいだよ交通課のほうもおそらく……
ジリリリリン
こちら亀有……
チャ
あっ中川かなんだ正月から？
なにっ本田が環七で大暴れしてるだと!?
え!?
ばかなこというな！本田はちゃんとわしの前にいるぞ！
他の白バイ隊員のまちがいだろ！
本人が本田だと名のっているっ
走り方もすべて本田にまちがいないだと!?
どういうことだいったい？
こっちがききたいくらいですよっ
とにかく中川も派出所へこい！
電話じゃ事情がよくわからんわかったなっ

ズズズッ
ドドド
おや?
チャッ

ギュアアアアーッ
いきなりなにをするんだ!
うるせえだまれ!
ガタッ
51キロで走ってたぜ1キロオーバーだ
いくらなんでもそりゃひどい!
おれさまのいうことがきけねえのかてめえ!

やりすぎだっ
うったえて
やるぞ!
ふふふ
ふふ……
上等じゃ
ねえか!
やるなら
やってみやがれっ
おれは
交機の本田
だっ!
HONDA
なん
だと!?
また
本田が
あらわれた
だと!?
ええ!
また環七で
車をこわした
そうです

そんな! 本人は ここに いるじゃ ないですか
すると むこうは ニセ者と いうことに なりますね
いったい なんの ために そんなこと するんだ
とにかく そのニセ者を つかまえて 本田さんの うたがいを はらしましょう
よし 手伝って やろうぜ
賀正
ブロロ…
ギューン

おい
その車
とまれ!
うわっ

おれは赤い車が気にくわねえんだ！色彩義務違反で罰金5000円はらえ！
そ…そんなむちゃな！
おい道路のまん中でとりしらべするな！
じゃまだぞ！
なんだとこのやろう！
おれさまをだれだと思っているんだってめえら！
鬼もにげだす交機の本田だあ！

なにっ
ニセの本田があらわれたあーっ!
やろうでやがったなあ!
ギャアアアアーッ
絶対つかまえてやるぞ!
ところで本田このバイクはだれのだいったい
ドドッ
バイオレンススペシャルの頭 トヨミのマシンだ
先月一斉《いっせい》で没収した一台だ一番 馬力があるからな!
うしろはすわりづらいぞ
あっ 警官が改造バイクにのってる
違反だ違反だぞ
なんだとどんなバイクにのろうと勝手だろっ
いいから早く急げ!

やばい!
警察が
きやがった!
プォンプォンプォン
あっ
あいつだ!
本当に
そっくり
だぞ!
むっ
本物の
本田も
きたか!
こいつは
おもしれえ
勝負して
やる!

どけどけ
道をあけろ!
本田と一騎うちだ!!
あのやろう にげねえで むかってきやがったな!
上等だ はってやる!
わしも のっているんだぞ!
や やめろっ こら 本田!

ズシャ
ザザッ
いてえ！

こっちは改造車だからフレームがきゃしゃで不利だぜ!
いててて!
くそっおれのバイクを使っているのか!!
HONDA
あっにげた!
てめえーっおれの名前を使ってただですむと思っているのか!
本田をなめんじゃねえぜ!

ねらった
えものは
はなさねえぜ!
とっつかまえて
八つざきに
してやる!
直線では
260Zのほうが
上だ!
くそ
ーっ
うおっ
ギュイイン!!
ドヴォオッ

うまいぜ！
せまい道に
さそいこん
だ！
装備のついた
あいつのより
軽量な
こっちのバイクの
ほうが
有利だぜ！

トヨミ もう にげられ ねえぜ!
あいつを しってるの か? 本田!
あの 走りっぷりは トヨミに まちがいねえ
ちくしょう ばれりゃあ しかた ねえ!
ダンナ しっかり つかまってて くれ
一気に 勝負 かけるぜ!
よし いけ!
うおりゃ ーっ
うわっ

★週刊少年ジャンプ1980年5・6合併号

の巻

オレも男だ！

ギャアアアアア
今 風のように
すっとんで
いったのは
本田じゃ
なかったか
……？
そう
みたい
ですよ

このところ やたらに 走りまわっ てるみたい ですよ…
あれじゃ ガソリンが すぐ なくなっち まうぞ
省エネ時代だと いうのに なに考えて 生きてんだ あいつは！
日本石油
CALTEX
CALTEX
車検取扱店
おい また あの 白バイの人 きたぞ
ギャ
ギャ
ギャ
キキ

おう
カラッポに
なっちまったぜ
また
たのむぜ
はい
わかり
ました
ぱっ
あら
あんた
きのうも
ガソリン
いれにきたん
じゃないの
NEW CAR'80
日産自
また
なくなっち
まってね
なにしろ
よく
走るからね

仕事熱心
だろう
おれ!
ははははは…
ドス
ガチャッ
OILL
ワックス…
MAP
熱心はけっこうだけど警官にしてはそそっかしいわね
事故をおこさないようにね
あっ…あの今度の日よう日…その………
え…?
お客さん17ℓ《リットル》です!
ガン
はいわかりました
日産自動
2400円になります
あっ そう 安いなあ ははは…
さっきの話 日よう日がどうかしたの?
べ…別に なんでもないよ また明日くるから…

ガオオム
あばよ！いざっ出陣してくるぜ！
ギャアアア
白バイにのっている時とおりた時とずいぶんちがう人ね
あの人あんたに気があるんじゃないの
まさか！
如月賞《きさらぎしょう》は ブルーインパルスとタニハヤテがくると思うんだが…中川の意見は どうだ
ぼくにはわかりませんよ
まったくなんだというんだあいつおかしくなったのか

あっ　また こっちへ もどって きましたよ
ちょっと とめて きいて やろう
おーい 本田! とまれ とまれ
なんだよ 急に 前へ とびだすなよ!
おまえこそ そんな スピード だして あぶない だろうが!
いつもは 車をおいかけて だが 今日は ひとりだけ じゃないか
いろいろと 事情が あるんだよ
まあ ちょっと お茶でも のんで いけ!
ちぇっ わかった よ!
あんまり 時間が ないんですよ 今日中に ガソリン全部 使いきらない と…
どうしてだよ 親のカタキ みたいに ぶっとばさなく ても いいだろ
じつは その… ガソリン スタンドに いかないと まずいん ですよ…
なにが まずいん だ?

つまり その…… レジの人が なんでして… その… なにが なんで なにしまして なになので…
さっぱり わからん もっと はっきり いえ
ようするに レジの女の人が すきなんじゃ ないですか
きゃっ はずかしい!
なるほど それで ガソリンを カラにしているわけか
ま
するどい人!
いちいちカラにするまで走りまわらなくても ふだん あいに いけば いいじゃないか
それができればこんな苦労はしませんよ
きのうは京都…… おとといは山形《やまがた》県の米沢《よねざわ》 このところ遠出ばかりで毎日 つかれて つかれて… 今日も これから秋田《あきた》まで いく ところです
バカバカしい ガソリンを すてちまえば いいだろうに
世界的なエネルギー不足のおりに そんなムダなこと できませんよ
結果的に同じだろうが同じなんだよ!
うるさい 音だして 排気ガス まきちらして 走るより すてたほうが よっぽど いい じゃないか!
そりゃひどい 人が苦労して やって いるのに

だいたい女ぐらいのことで仕事がダメになるんならやめちまえ警官なんてこのバカ!
ま ひどいいい方!
人の心にグサリとつきささるようなことばをいう人!
先輩 いいすぎですよ そりゃ!
こいつもこいつだ! バイクにのっている時は元気いいのにおりるとからきしダメになっちまうんだからな
しかたないですよ 今のが 本当の本田さんなんだから
広辞苑
辞典
葛飾区
おい 本田 いっしょにいこうぜ
えっ どこへ?
ガソリンスタンドのねえちゃんのところへいくんだよ
えっ 両さんも
ちょっとまだガソリンがたっぷりはいってるんですよ 秋田までいかないと
いいからくるんだよ!
広辞苑
辞典
石油
CALTEX

いいか バイクにのらなくても ビシッと きめろよ
でも ぼくは バイクから おりると 心細くて…
それなら バイクのこと を 考えろ! 自分自身に 暗示を かけるんだ
は… はい
ギヤ クラッチ ハンドル トランス ミッション
メーター ウインカー バッテリー セル・ モーター
あら また きたの?
タペット アジャス ティング ナット
オイル・ フィルター・ センター・ ボルト
じつはな… エンジンオイル 今度の… シリンダー ヘッド 日よう日に… 点火時期! デートをして… クラッチ レバーの遊び くれないか… 日《に》本《ほん》電《でん》装《そう》!
ちょ ちょっと こいっ 本田!
なに いってる の?

スパイの暗号じゃないんだからな！相手にもっとわかるようにいえよ！
でもオートバイのこと考えてないと不安で……
今日はわしは手伝わんぞここでみとるからおまえひとりでやれ！
えっひとりで……!?
あ…あのじつはその…ですね……
なんなのいったい
そ…そのワックスひとつください……
これですかはい
わ〜くワックス買ってきちゃった
もうあきらめたほうがいいんじゃないか…
今日は日が悪いようですでなおしてきます
そうしたほうがいいな…

SONY
STUTZ BLACK HAWK
おう あんちゃん 満タンに たのむぜ
はい わかり ました
なんだ あいつら すごい車に のっていや がるな

どうも おまちどうさま おわりました…
うむ そうか…
あーっ てめえ 車に キズを つけやがったな!
え!?
アニキ みてくれ! このやろう アニキの愛車に キズを つけやがったぜ
なんだと 本当か!?
おまえの いうとおりだ こいつあ ひでえ キズだ
そんな! どこにも つけて ませんよ
てめえ シラ きりやがって よくみろ
ゴチ
いったい なにごとが おきたの ですか?
おっ 中から かわいいのが でてきたぜ

おれたちと
つきあえよ
そうしたら
ゆるして
やるぜ!
きゃっ
なに
するのよっ
ガッ
あっ
かの女
が!
本田
助けに
いけ!
えーっ
し
しかし
ひとり
じゃ…
チャンス
だぞ!
ドーン
き
きみたち
やめ…て
ほしい
……と
思う!
かよわい女性を
いじめるのは
カスのやることだ…
と 私は思う
その手を はな…
したほうが いい
……と思う
おとなしく
帰ったほうが
身のため…では
あるまいか!
なにを
いってるんだ
こいつ
おかしいのか
おっ
なんだ!
警官
だぜ……

とにかくやめろ!…と私は思う
あっこのやろう
なめるなよてめえ
きゃあ
いたいなちくしょう
なんだと腰ぬけ!
腰ぬけだっておこる時はおこる!
げっ
こいつみんなでやっちまえ
よしそこまでだ!
上等だぞ本田! あとはわしがひきうけた
あっ両さん!
ぎゃっ

てめえ——っ
ビュ
おっ
きさまだな
さっきから
インネン
つけていや
がったのは…
グイ
くそ!
キズ
つけたってのはな…
ぎゃっ
ガッガッガッ
こういう状態を
いうんだ
わかるか?
ん!
は…
は…い
このやろう
ガン
いてっ
もう頭にきた!
徹底的にぶちのめしてやるぞ!
うわっ
ガシャーン
きさま
ふいうちをくらわせやがったな
す
すごい
石頭…

こんな車なんか景気よく燃やしちまえ！
わーっ やめてくれ！
ねえ とめてよ あの人！
だめだ ああなったら もう だれにも とめられない……
……で 結局 先輩は やりすぎで 減ぽう…
本田さんも かの女に ふられた わけ……
わしのほうは ともかく 本田に すまない ことを したよ…
ドドドドッ
もはや バイクを おりたら 失恋ショックで 歩くこともできん… バイクから おりることさえ できなくなった…

★週刊少年ジャンプ1980年8号

カメ型人間！の巻
食堂
にこみ
定食
鍋島食堂
大関
弘美
元祖
銘酒
菱剣
おかめ
小料理
天ぷら
美雪
千鳥
おでん
ホッピー
KIRIN
キリンビール
伊自良

あ 足を また ひっこめたぞ!
ひっこむ穴を ふさいじゃえ
おい おまえら なに やってんだ
ひろった カメを ごうもん してるんだよ
やい こら ないてみろ!
なけ なけ!
おい おい そんな 手荒く あつかうなよ
じゃ おじさん このカメ 買ってくれる?
買ってくれよ
え! なんで わしが…
カメを 助けたいなら 売ってあげるよ
そうだ そうだ
わかった わかった 買えば いいんだろ
こうらと 中身セットで 500円に なります
ちぇっ 今どきの ガキは しっかり してやがんな
まるで おとぎ話の 浦島太郎《うらしまたろう》 みたいに なってきたな

あれ？
なんです
先輩
それは？
みりゃ
わかるだろ
カメだよ
カメ！
カメなんか
どうするんですか
まさか
たべるん
じゃあ……
持出禁止
ばかいうな！
スッポンと
ちがうんだっ
広辞苑
まったく
おまえの
おかげで
500円も
とられちまったんだぞ
あっ
こ
こら
まて！
こいつ
め！
こいつ
カメのくせに
動作が
機敏だな
火器
持出禁止
どこかに
いれといた
ほうが
いいですよ

麗子《れいこ》カメをいれるやつあるか?
さがしてみるわ
ちょこまかにげんようにさかさにしとこう
コテッ
わははどうだ動けまい
バタバタ
ク
スタ
中川!このカメさか立ちしておきあがったぞ!
まさか!カメがそんなことするはずないでしょう
本当だよいいかよくみてみろ
ゴロ
全然おきる気がないようですが……
クター

先輩のみまちがいですよ…
本当なんだよおい!
ヒョイ
タン!
今度はたちあがったぞ!
むちゃくちゃなこといってるよ
このの金魚バチにいれといたらどうかしら
ちょっとせまいがまあいいか
持出禁止
むっ
グイッ
こいつおとなしく金魚バチにはいらんかっ
ググッ

わりと自己主張の激しいカメですね
だからいったろおきあがり方もふつうではないって!
ありゃ手足をひっこめちまったぞ
おい! どうしたんだこら!
おかしいですね
さっきまであんなに元気だったのに……
冬眠にはいったのかな?
シュバッ
うわっ
びっくりしたいきなりでてきたっ
このやろう人間さまをおどろかしやがって!
あっまたひっこんでしまった
まるでびっくり箱みたいなカメだな!

ようし！おしおきをしてやるぞ！
広辞苑
小六法
KAMEARI
わははまわったまわったまるでガメラみたいだ
よしなさいよ！かわいそうじゃない
なにをいうかっわしはこいつの将来のため教育してやってんだぞ
悪いことをしたら罰をあたえんといかん　よしもう一度
結局おもしろがってやってるんじゃないか……
しつこいな教育だぞ教育！

いてえ!
どうしたんです先輩!
つめでわしのことひっかきやがったんだ
もうかんべんならんお湯の中にいれてごうもんしてやる
なにをしてるんだ両津!
うるさいな今このカメを湯の中に……
あっ部長でしたか……
カメとあそんでいるのか?おまえ今年でいくつになる
おかげさまでいい歳になります

その いい歳になる男が カメに体操させて あげてるのか?
いえ! これは 子どもたちに いじめられてた あわれなカメで…………
それを 私が 大枚500円ナリを はらいまして 助けて あげたという 心あたたまる お話で………
子どもの かわりに おまえが いじめてるなら 状況は 全然 かわらんぞ
このカメ 派出所で ペットにしたら どうです 亀有派出所で ゴロも あうじゃ ないですか
カメなど ペットに なるか!
ちょうどいい おまえ ちょっと そこに すわれ!
は?
この顔に ピンときたら 警視庁110番
おまえは せっかちで 先走りする 傾向がある これから わしの いうことを よくきけ
ちぇっ また 説教か……
故障中
むかし むかし あるところに 足の速い うさぎさんが いました
MY LIFE
そこで のろまなカメと どちらが速いか かけっこをする ことになりました
YE!

もともと のんびり屋の カメくんと イダテンの うさぎくん です……
全然 勝負に なりません
うさぎくんは ゴール手前で ひと休み！ ウォークマンで イエロー・マジックを ききながら ねてしまいました
そこへ マイペースの カメくんが きました
うさぎくんは まだ ぐうぐう ねてました
気が ついた時は カメくんが 一番になって いました
うさぎくんは カメくんに 負けてしまった のでした
つまり だな…
おまえは うさぎ型 人間 なのだ！
今の話の うさぎのように 世の中あまくみて すごしていると 最後には カメに負けて しまう！ おまえみたいに 破滅的な 生活を していると 今に えらい目に あうんだぞ！

カメ型人間 つまり 寺井《てらい》のような 男だ
毎日 じみながら コツコツと 確実に 一歩一歩 あゆんだほうが 正解なのだ！ おまえも そのカメをみて みならえ!!
おまえのように 毎日を めちゃくちゃ C《シー》調に生きて 金も なにも残さず 今が 楽しければ いいという 無責任で だらしない 無気力な 浮き草のような 生活が……
ちょ… ちょっと まって くださいよ
おことばですが 部長 今の話に 重大な あやまちが ありますよ
なんだ いって みろ！
カメは なぜ うさぎを おこさな かったかと いうこと ですっ
な… なんだと
競走する 相手が ねているなら おこして また そこから 同時に スタートするのが 自然でしょう
それが スポーツ マン シップでしょう
なのに カメは ライバルが ねているのを さいわいに ひきょうにも 自分だけ 勝つ…
自分さえ よければ 相手は どうでもいい
1
これは 現代の競争社会を 語っている おとぎ話です ライバルを けおとし はいる受験生！ 会社でも ライバルを つきおとして 自分だけ 課長に なりたがる サラリーマン！
他人のことなど 考えず とにかく 一番に なればいい ということが そんなに 立派な ことなんですかっ

ゴールまでいけば　勝負はついてしまうのにその手前でカメをまってやるうさぎのやさしい心があなたにはわからないのですか！
し…しかしそれは…
私は利己主義的なカメ型人間よりもバイタリティーがあり　ハッピーなうさぎ型人間でありたい！つねに　そう考えてます
うーむしかし…
あなたはカメだ都合が悪くなるとすぐ　自分のカラにとじこもってしまう自分かってなカメ人間だ
うっ
まいったなこっちが説教されてしまったよ
先輩のへ理屈は得意ワザですからね
部長にこのカメさしあげます
むっなぜだ
!?
これがあなたの息子です同じ種類です！
ばかなこというな！
おい　カメこれからはわしのいうことききかんとかってやらんぞ
わしがご主人さまだからな！

あいつ人とは 気があわんくせに動物とは不思議と気があうなひょっとしてあいつもハ虫類じゃないのか…
まさか！……と思いますけどね
変だな本当に元気が なくなってきたぞ
おなかがすいているんじゃないの？
カメっていったいなにをたべるんだよ
さあわからないわ…
部長カメの主食ってのはなんです
両津
カメのたべ物だと？しらんなあ…
せんべいなんてたべないですかね？亀の子せんべいなんてのが あるくらいですから
そんなもんたべるか！
冷蔵庫に野菜が 少しあったけどもってきてみるわ
そうだな……
ハラへったのかどうなんだよはっきりしろよおい！
こらやめんかむちゃするな！

いてっ！
ひっかきやがって！ くそ ネコみたいなカメだな
あっ おい そっちはいっちゃいかん
ゴソ
こら もどってこんか ほら！
ゴソゴソ
おいこら！ だめだというのがわからんか
まて このやろう！
どちらかというと カメにあそばれているようだ…
カタ
カタ
よし つかまえたぞ
まったく チョコマカ すばしっこい カメだ
じっとしていられんのか

はい! 野菜をもってきたけどたべるかしら?
わからんとにかくたべさせてみよう
おっ たべるぞ たべるぞ
やはりおなかがすいていたのね
でもみればみるほどかわったカメだな
なんというカメなのかしら
カメはカメだよ こんなもんどこにでもいる ただの野生ガメだ
そうかしら
こいつがにげるといかんからな 麗子キリもってこい
キリなんてどうするのよ
こうらのハジに穴をあけてヒモをむすんでおくんだよ
そんなことダメよかわいそうよ!
ちぇっ しかたないじゃあ こうして体にまきつけるか!
そうよそれでいいわ

おっ こいつ なかなか 力が ある
グイグイ
わはは しかし 人間さまには かなうまい
グイ
おや?
クイ クイ
あっ 自分でナワぬけしやがった
スルリ
こいつめ!
ピョン
てめえ この!
ピョン
部長 カメってはねましたっけ!
うーむ ずいぶん器用なカメだな
すばしこいやつめ!
ピョーン
おとなしくしろ!

てめえ なめんなよ!
このやろう まて!
よし! つかまえたぞ!
なに みてんだよ てめえら あっちいけ!
みせ物 じゃねえ!
まったく おちつきの ないカメだ すぐ にげやがる
迷子に ならんように ちゃんと こうらに 住所をかいて おいてやる
部長 あのカメ これと 同じじゃない ですか?
どれ?

ほら 天然記念物のリュウキュウヤマガメですよ 沖縄本島《おきなわほんとう》にすんでいるやつ！
カメ
天然記念物
リュウキュウヤマガメ
おカメ
ハコスッポン
本当だ これにまちがいない！
おい 両津 そのカメ 大変だぞ！
なにかありましたか？
天然記念物だぞ！ 沖縄にしかいないカメだぞ！
えっ 沖縄のカメだって!?
沖縄にすんでるカメがどうしてここにいるんだ？
どこかからにげたんじゃないのか？
近くで問いあわせてみましょう
そうしろ さがしてるかもしれんぞ
おまえ沖縄の生まれか？ そういえば日やけしてるな

近くの水族館からにげたカメでぶじ もどってよかったですね
まったくだ 両津もたまには役にたつこともある
ちぇっ
大変よ 水族館の人たちがきたわよ
あなたがみつけてくれたのですか おかげさまで助かりました
こうらに 備品と かいてあったのが気になりましたが…
これ お礼です
なんと カメを救って お礼を… まったく おとぎ話と同じだな
なにが さいわい するか わかりませんね!
いやあ 私は あのカメをみて すぐに あっ これは 天然記念物の リュウキュウ ヤマガメだ! と わかりましたよ
私が いるかぎり 安心して カメを にがしなさい あんた!
できれば この近くに にがしなさい!
結局 酒が ほしい だけだ……

★週刊少年ジャンプ1980年７号

劇画刑事・
星《ほし》　逃田《とうでん》IIの巻

こちら葛飾区亀有公園前派出所

圧倒的支持をえてパートII《ツー》をやることになった…まるで 映画なみだな…前回は スクリーントーンのダブルトーンの服だったが今回は 3枚がさねの服をきてきたぜ ますます ベタ同様にみえるだろう!

今回は 派出所の人間は ひとりも でてこない 私だけのワンマンショーだ 気にくわないやつは ほかの巻を 先にみてくれ
ライン(わく)も 今回は すべて とっぱらっちまったぜ オレは わくの中に とじこめられるのは 性に あわねえ 自由に 生きたい…

おまえたちは 漫画が 本になるまでの 苦労が わかっちゃいねえぜ たとえば オレが こうして しゃべってる 文字ひとつ とっても 写植会社の おじさんたちが 苦労して ひとつひとつ さがして つくっていくんだぜ…
たとえばだ 論語《ろんご》の 「子謂子産 有君子之道四焉 其行己也恭 其事上也敬 其養民也恵 其使民也義」
…というような ことばも すべて まちがえず いれてくれる プロだぜ！ わかるか!? その苦労をしったら 漫画をみて 笑ってる 場合じゃないんだぞ!!
これからは 漫画をみて 笑うんじゃねえぞっ 泣け！ 泣くんだ!!

話は すぐ かわるが 前回 カルチェの ライターを なくして いじけたことが あった 読者のみんなに さがしてくれと いったら……
郵便法により 危険物を送ることは 禁止されているにも かかわらず ライターを さがして 送ってきてくれた やつがいた ちゃんと 銀のカルチェだ うれしかったぜ!
岐阜《ぎふ》県の 小林義永《こばやしよしなが》という 名もない一少年が 送ってくれた おまえは えらい! 将来 立派な 人間になる! …だろう
…が しかし よーく みると オレのライターとは デザインも 多少 ことなっていた
ライターの下には JAPAN《ジャパン》とかかれ 横に小さく チルチルミチルと かかれてあった… しっかりと ガスもない…

やい！
小林《こばやし》 義永《よしなが》!!
警視庁《けいしちょう》の
刑事を
なめるなよ！
亀有で
おとしたライター
が なんで
岐阜県で
みつかるんだ！
100円ライターに
銀紙をまいて
ひらがなで
「かるちぇ」とかいた
だけじゃねえか！
…………
あたった！
ページをめくった
フイをついて
うったのが正解だ
むふ むふ
どうだ！
し…しかし
オレのうち方も
せこいなあ
犯人が
ころんだ
スキに
うつとか…
石をなげて
おどろいてる
スキに うしろから
うつとか……
まともに 正面から
うったことがない…
主人公が
うたれては
いけないという
プロ精神
なのだろう
か…？
あるいは
ただ たんに
自分の身が
あぶないという
だけなのか…

しまった しらぬ間に ワクの中に はいってたな
ガッ
しかたない せめて部分的に あけておこう！
こうすれば 少しは がまん できる！
なんか 虫にくわれた みたいなワクに なって しまった くそ！
あいかわらず 話が すすんで いないな…
ここで 読者の ハガキでも よもう！
17歳の 女の子から "とんでんちゃん なぜ あなたは カバ丸《まる》に にて いるのですか？"
ばかなこと ぬかすな！ なぜ 私が あんな下品な イモざるに にてるんだ！
第一 私は とんでん じゃない！ とうでんだ！ とうでん!!
うっせえな てめえだって 下品さは 人に まけねえだろ
だ… だれだ おまえは!?

ボリ
ボリ
おっす
今回は
ゲスト出演で
きてやったぜ
バ〜〜ン
なんで　おまえが
少年ジャンプに
でてくるんだ！
おまえは『別マ』の
専属だろうが！
まあ　そう
こまかいこと
いうなよ
なんでぇ
読者は
男ばかりかよ
よく　あんた
こんなところに
でられるね
うるさい！
男の　ハード
ボイルドの
世界に
女のでる幕は
ない！
麻衣《まい》を
さがしに
きたんだよ
沈寝《しずね》も
しらねえか？
『別マ』の
読者にしか
わからねえこと
いうなっ
かえれっ！

少年ジャンプ クビになったら オレのとこに こいよ わき役で つかってやる 群衆シーンで
だまれ! 少女マンガなど だれが でるか オレは ハードな 主人公だぞ!
もう このへんで 3枚がさねの服も ぬごう! はるのも 大変になって きた!
最近 トーンも 値あげに なったことだし あまりムダに つかえない
一番 楽な 無地の 服を……
む!?
また 広告か 前回もたしか のって いたな…… なになに
たしかに すごい 顔ぶれだ 秋本《あきもと》も これ よめば いいのにな
前回につづいての 出演だ 上のコマを 説明しよう じつは このスペースに "まんが劇画ゼミ" 全8巻の広告が 出ていたのだ
その本は さいとうたかを 手塚治虫《てづかおさむ》などの顔ぶれ なので 作者の秋本《あきもと》も この本を買って 勉強しろと いう すばらしいギャグ なのである わかったかね しょくん!

しかし
ようやく
劇画の世界に
もどった
ようだ……
グワオー
消火器
むっ
この時計が
まだ
なりきって
おらん！
よし！
ビ
読者の
みなさんに
リアルに
てっした
ニュー劇画を
おみせしよう
ニュー
ウエーブ
ハード劇画

みよ！このバックのリアルさ！アシスタントの芸術作品！
ビッ
背景ばかりリアルではまるでゲゲゲの鬼太郎《きたろう》になってしまうので……
私もこのようにリアルに！
ぱっ
すばらしいまさにニュー劇画の極致！

撮影制作　キャスト　星逃田・富沢信　男A・はしもときんいち　スタッフ　カメラ・秋本治　ヘアとメイク　堀内丸恵

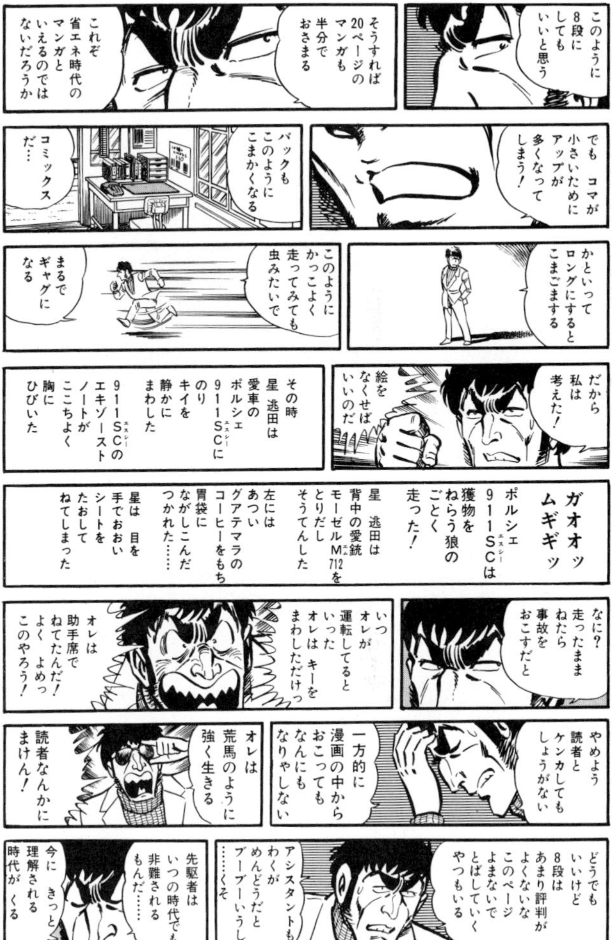

このように8段にしてもいいと思う
そうすれば20ページのマンガも半分でおさまる
これぞ省エネ時代のマンガといえるのではないだろうか
でも コマが小さいためにアップが多くなってしまう!
バックもこのようにこまかくなる
コミックスだ…
かといってロングにするとこまごまする
このようにかっこよく走ってみても虫みたいで
まるでギャグになる
だから私は考えた!
絵をなくせばいいのだ
その時 星 逃田は愛車のポルシェ911SC《エスシー》にのりキイを静かにまわした 911SC《エスシー》のエキゾーストノートがここちよく胸にひびいた
ガオオッ ムギギッ
ポルシェ911SC《エスシー》は獲物をねらう狼のごとく走った!
星 逃田は背中の愛銃モーゼルM《エム》712をとりだしそうてんした
左にはあついグアテマラのコーヒーをもち胃袋にながしこんだつかれた……
星は 目を手でおおいシートをたおしてねてしまった
なに? 走ったままねたら事故をおこすだと
いつオレが運転してるといったオレは キーをまわしただけっ
オレは助手席でねてたんだ! よく よめっ このやろう!
やめよう読者とケンカしてもしょうがない
一方的に漫画の中からおこってもなんにもなりゃしない
オレは荒馬のように強く生きる
読者なんかにまけん!
どうでもいいけど8段はあまり評判がよくないなこのページよまないでとばしていくやつもいる
アシスタントもわくがめんどうだとブーブーいうし……くそ
先駆者はいつの時代でも非難されるもんだ……
今に きっと理解される時代が くる

あなた方は このタイトルを みて おかしいと 思わないか
「こちら葛飾区《かつしかく》亀有《かめあり》公園前《こうえんまえ》派出所《はしゅつじょ》」 ……つまり この漫画の主人公は 派出所なのだ
ゴリラのような お巡りの名前など どこにもない！
私は まがったことが きらいな男だ まちがいは ゆるさないっ
今回からは タイトル通り この派出所を 主人公にする
こちら葛飾区亀有公園前派出所くん
●おまわりさん しょうかい！の巻
亀有公園前
秋本治

私は
東京のいなか
亀有で
うまれた
派出所です
亀有公園前
一度 火事で
もやされましたが
20年間ずっと
ここに
たっています
亀有公
きょうも 私のところに
お巡りさんが
やってきます
みんな
社会のために
日夜
がんばりつづけて
いるのです
めでたし
めでたし

だれがめでたしめでたしだっこらっ！

びっくりした！
いきなり
「リングにかけろ」調
パンチを
くらわさないでくれよ
まったく！
わしが ねてるのを
いいことに
やりたいこと
やりやがって
てめえ！
おまえが
でてくると
ネームと ペン入れが
2日も
のびるんだよ
わかってるのか！
そんな技術的な
ことなど しらん！
いちいち 気を
つかっておられん！

おまえ ひとりで 14ページも つかいやがって わしの立場が ないだろう え!
悪かった! 悪かった! やりすぎた!!
では このへんで 話をもどして 作品の本題に はいって いこう
あと 3ページしか ないんだぞ どうやって やるんだ!
私に まかせなさい あんたは他の メンバーを あつめて
ここで こうして まっていれば 必ず事件が おきる
大変だ お巡りさん 事件だ
ぱっ
みろっ ワン パターンだ
おい みんな 出動だ こいっ!

ドゥオオオオオ
自分だけえらくのってますね!
いくらいきごんだところであと1ページじゃなんにもできんよ……
そんなことありません前編おわりということにしてのこりは次号後編につづくということで
だ…だめだ!おまえが2号つづけてでるなんてだめだ!
はっ
このハンドルアクションきまったぜ

ラッキーストライクをくわえ 左手のロンジンの時計に目を…
あっ
いきなりとめるなバカ!
時計がない!どこかでおとしたっ
ねっお巡りさんさっきの派出所におちてなかったですか?
しらんよいちいちみてない!

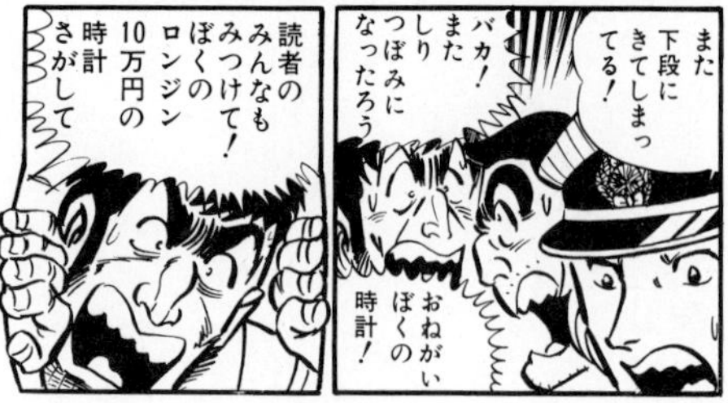
また下段にきてしまってる!
バカ!またしりつぼみになったろう
おねがいぼくの時計!
読者のみんなもみつけて!ぼくのロンジン10万円の時計さがして

ぼくの
ロンジンの時計
みつけてください!

〈注意〉

- おもちゃ　おことわり
- ディズニー時計
  おことわり
- おとうさんの時計
  おことわり
- 必ず　ロンジンの
  金の時計を!

★週刊少年ジャンプ1980年2号

マイク・パワー…の巻

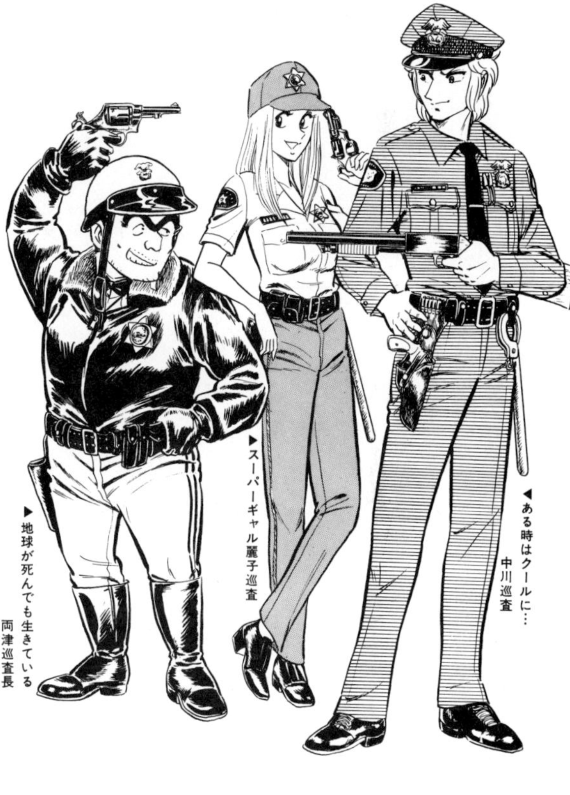
◀ある時はクールに…中川巡査
▶スーパーギャル麗子巡査
▶地球が死んでも生きている両津巡査長

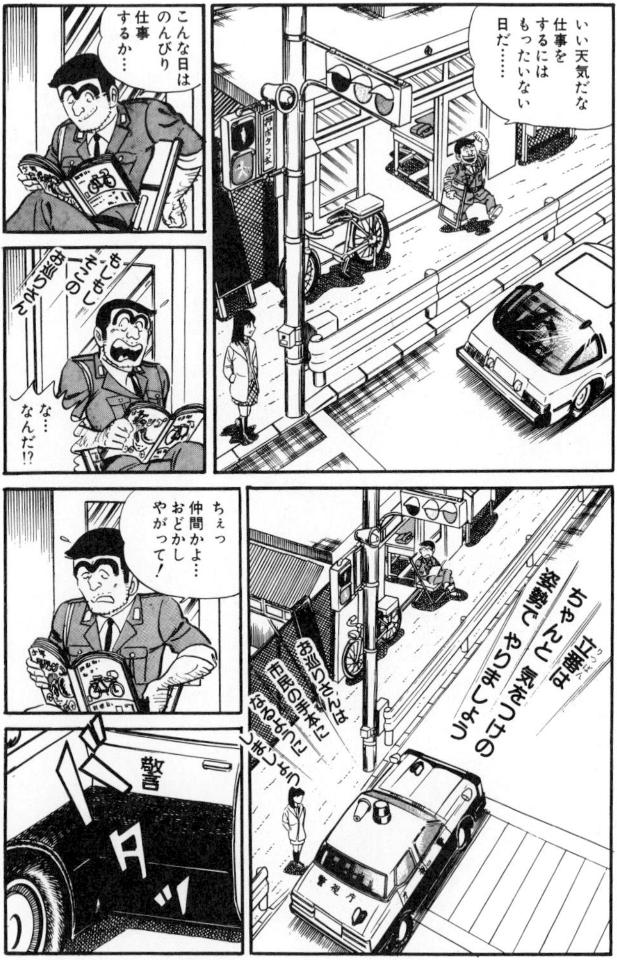
いい天気だな 仕事をするにはもったいない日だ……
こんな日はのんびり仕事するか…
もしもしそこのおまわりさん！
な…なんだ!?
ちぇっ 仲間かよ…おどかしやがって！
立番《りつばん》は ちゃんと気をつけの姿勢でやりましょう
お巡りさんは市民の手本になるようにしましょう
バタッ
警

仕事中に
漫画など
よんでは
いけません
もっと
まじめに
勤務しなさい
ばか!
いきなり
耳もとで
しゃべるな
びっくり
する
じゃねえ
か!
ばかなんて
ガラの悪い言動は
つつしみましょう
正しい日本語
美しいことばを!
いちいち
マイクで
しゃべるな
うるさいぞ
!
カッとする
その心が
事故のもと!
すぐ
おこっては
いけません!
仕事が
はいりました
ちょっと
おまちください

そこの 茶色のセーターをきた 年齢19歳ぐらいの男子
ここは 横断禁止です
横断歩道を わたりましょう
いそがば まわれ
ルールを 守って すみよい 日本!
そこの 練馬《ねりま》 34-34の ダサイ車 リリけて 前に でてきて ますよ
停止線は ただの いたずらがきでは ありません! ちゃんと 教習所で ならったでしょう
わかったよ
あっ お巡りさんに むかって "わかったよ"とは なんて いい草ですか あんた ちょっと 表に でて きなさい
うるせえな
こんな天気の いい日に 若い男が ひとりで ドライブ… まったくミジメを 絵にかいたようです ひそひそな話です 女の子の ひとりぐらい…
よけいな おせわだ!
いったい なん なんだ あの男は!?
ぼくらと 同じ 警ら係の 人ですよ
とにかく パトロール しながら いろんなことを 注意するのが すきなん です
まったく うるさい 男だ

おい
そこの
派出所で
小休止して
いくか…
OK OK！
それはいい
考えだ！
警
お話し中
悪いんですが
ちょいと
この派出所で
休ませて
いただきます
よろしく
おねがいします!!
まったく
うちの署にも
いろんなやつが
いるもんだよ
うるせえな！
マイクで
どなりやがって！

すぐ近くでマイクを使うなっていってるだろうこのバカ
あっ
いちいちこんなものもって歩くな!
あ…あの…かえしてくださいよ……それ……………う
ん?
この人マイクを通さないとしゃべれないいんですよ気が小さくて…
そ…そうなんです……
本田みたいなやつだな
これからはボリュームをもっとさげて話せよ!
まったくどんな性格だ信じられんやつだ……
どうもありがとうございます
ありがとう!
そのひとことで家庭円満!

じつは 私
警察官になる前に
歌謡ショーの
司会を
やって
おりましたので
マイクを
使うのが
クセになって
おります
なるほど
そうかあ
おもしれえ
ひとつ
やってみろ
はい
よろしい
ですか
人にはそれぞれの心の歌があります
さんぜんとかがやく 明星の影に
でてはきえゆく芸能界
苦節の日びを のりこえて
今 ここに 花開いた新しい星ひとつ
苦労をみせず ニッコリ笑い
今も歌うは
あの大ヒット曲!
演歌の星
渥美二郎《じろう》さん
夢追《ゆめお》い酒《ざけ》!
いよう
いいぞ!
パチパチ
今度は
サブちゃん
やってくれ
はい はい
私の十八番
です!
ふるさと
北海道《ほっかいどう》を あとにして
流れ流れて 幾年月
下町 浅草《あさくさ》を足場にして
流しのサブちゃん イナセな男
義理と人情を歌わせりゃ
この人以外に だれがいる
今よみがえる
あの大ヒット曲!
演歌の
エンタテイナー
北島《きたじま》三郎《さぶろう》
兄弟仁義《きょうだいじんぎ》!
いよっ
最高!
パチ
パチ
パチ

太田《おおた》裕美《ひろみ》 できるか
はい はい 私に できない ことは ございません!
芸能界に さく かれんな花一輪
少女のおもかげと あふれる才能をひめて
あなただけに ささやく やさしい歌声!
いいぞ いいぞ
春日部《かすかべ》の 歌姫 太田《おおた》裕美《ひろみ》 ガラスの世代
いよう きまった
まるで よびこみ みたいだ
そこの人 今 なんと いいましたか こたえなさい!
いえ べつに…
キャバレーの よびこみと いったでしょう あれも立派な 仕事です
そうだ そうだ!
さあ さあ そこの 道いくおにいさん方
安いよ! よってきなさい
ワンセット 8時まで800円
サラリーマンは 仕事のストレス解消
学生さんは 勉強の骨休めに
あんたも! あんたも 花のキャバレーに よってらっしゃい
あれで 本当に 警官 なのかよ
私も バイトで やったことがあります よろしければ ここで ひとつ!
いよ!

あんなやつ ほっといて さっきの 続きを やろうぜ
はい はい
そう しましょう
さいはての国 北海道《ほっかいどう》で うまれ
吹雪にもまれ
熊とも たたかい
あらゆる苦難をのりこえて
ギター片手に 20数年
今や 日本のスーパーギャル
北海道《ほっかいどう》の
おかあさん みていますか
あなたの娘は こんなに
立派になりました
'80年代を しょってたつ
中島《なかじま》みゆきの
リバイバル!
いいぞ 最高
パチ パチ パチ
そろそろ いきましょう 時間です
はい そうですか
どうも おせわさまでした
いや いや こちらこそ いい お話を…
今後《こんご》とも よろしく
堀口《ほりぐち》さんの 名調子は どこへ いっても 評判 ですなあ
いやあ なんの なんの はははは
げっ パトカーが きえた !?
え!
それは 大変だ!

なにパトカーがぬすまれただと!
とにかくぼくの車でさがしてみましょう
ご協力ありがとうございます
めんどうなことになったな!
署にはないしょにしてください
前にも一度ありましたので
今度バレたらクビです!
なんてコンビだおまえら
じつにいい車だ
われわれもこのような車でパトロールしたいものだ!
うるさい車の中でしゃべるな!

おっ いたぞ!
さすが この車は 速いですね
ごういんに とめま しょう
あの 私が……
いいから こういう ことは おれに まかせておけ
おう てめえら さっさと でてきや がれ!
いきなり 車をとめて なにか 緊急な 用かね?
げっ 次長!

緊急な用事にしてもいきなりドアをけとばしてでてこいはないだろう
いや…そのあいきょうですよ部下が上司をしたう悪ふざけ
む…どうして警官が4人ものっているんだ
バタ
それじゃ失礼しますよおたっしゃで
おいこら！まちなさい！
びっくりした本物がのってるとは思わなかったよ…
ふう
そういえばナンバーがちがっていました
バカ早くいうんだ
ナンバーは24-86です！
しるか！もうわしはさがさんぞ
だれが協力なんか……
警視庁
24-86

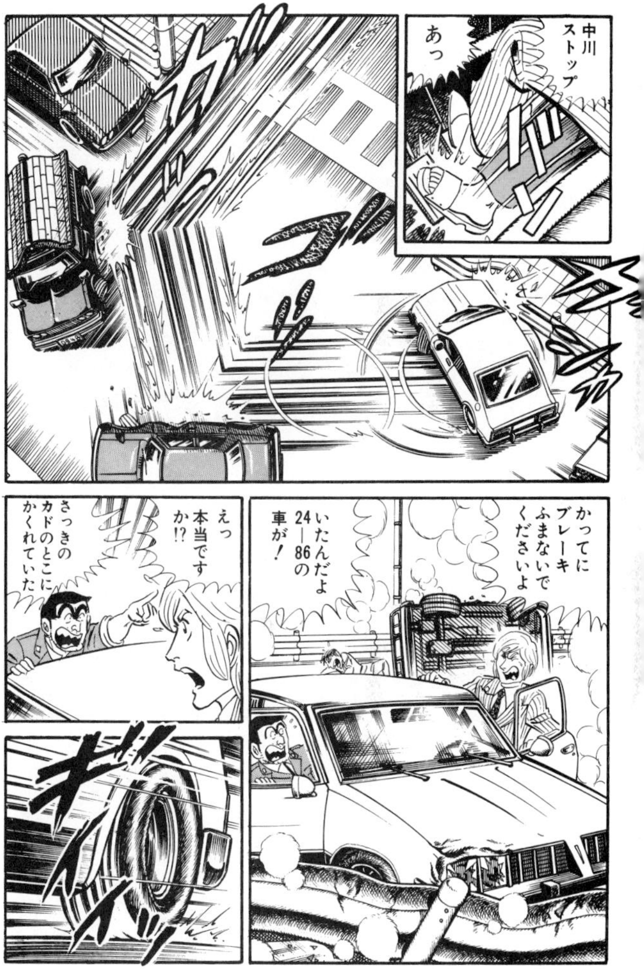
中川
ストップ
あっ
かってにブレーキふまないでくださいよ
いたんだよ24ー86の車が！
えっ本当ですか!?
さっきのカドのとこにかくれていた

あっ あれだ
ヴォオオッ
ビィイイッ
おい こういう時に 相手に どなるんだよ
はい はい はい
花の新宿《しんじゅく》 こぼれ花 ネオンが恋しい 夜のチョウ 演歌ひとすじ かがやける星が 今……！
パカ
だれが 曲の紹介 しろといった とまれと いうんだよ
前のパトカー とまりなさい！ せまい日本《にほん》 そんなに いそいで どこへ いく！
宣伝カー ですか？
さあ
ハイという 返事が できる すなおな子 手をあげて 横断歩道を わたろうよ
前の車 ちょっと おかしい ですよ
なに!?

不自然な走り方してますよ
そういえばそうだな
ヴォオ…
警視庁
ちょっと前にいってみろ
はい！
あっ
ビイイイ…
レッカーでひっぱっているぞ！
ヴォオオッ
車両移動車
駐車違反で移動されているところだ！
ミニパトのおねえさん そのパトカーは我われの車です
とりかえしにきたようよ……
あきれた人たちね

いきなり もってくこと ないだろ! こっちは ぬすまれたと 思って 心配してたん だぞ!
パトカーだからこそ おお目に みろよ 仲間の車だぞ! 同じ会社の車ぐらい みてみぬふりを するくらいの 気が まわらんの かよ!
会社じゃ ありません! 警視庁です! たとえ どんな車でも 違反は 違反です あなたこそ 常識しらずよ!
いきなりも ないわよ 横断歩道の まん中に とめておく 人が いますか! それも パトカーを ですよ!
いいやがったな! この オカチ メンコ! 激ブス!
まあ まあ…
婦警さんを おこらしちゃ まずいですよ こっちのほうが 不利なん ですから
くっそ~~
そのとおりです
女性は すぐ 感情的に なりますからね ここは 物腰やわらかく ゴマを すって……
わしに そんなこと できるか 死んでも できん!
そういう ことは おまえが 得意だろ いけ!
中川さん がんばって なせば なる なさねば ならぬ ナセルは アラブの 墓の下!

まったく なんてことを しでかして しまったのだ
パトカーが 違反を するなんて 死んでも ゆるされない
お嬢さん方に なんといって おわびしたら よいのか…
いくら わびても 違反は きえませんよ
本当に 申しわけ ありません 松坂《まつざか》さん
松坂？
い いや 失礼 あなたが 松坂慶子《けいこ》さんに あまりにも にているので つい……
ハッ
まあ そんな！
そちらの方は アルバイトで モデルを しているという 署内でも 評判の 人でしょう
まあ 人ちがい ですわ
まさに 翼のない 天使のようです きっと 心も美しく やさしい方 でしょう しかし 違反を みのがして くれとは たのめません し……
あら～ いいんですのよ あんなことォ ねえ！
それにしても これだけの 美人婦警さんと 同じ署に 勤務できる とは… 光栄です
まあ おじょうず な方！
うぷっ 気持ちが 悪くなって きた……

はい 信号が
かわりますよ
いそいで
わたりましょう
やれ いそげ
ハエが手をする
足をする!
小林一茶!
げんまい茶
文茶 つり茶に
こぶ茶に…
はりきって協力してくれてますね
ああ おまえのおかげでクビにならずすんだんだからな
おい そのへんで少し休めよ
ブレーキは 早めに
スピードは ひかえめに!
原稿は 早めに
いいわけは
ひかえめに!
いつも明るく
たのしい
担当者!
どうも
ありがとうございます
ありがとう
そのひとことで
明るい社会!
まったく! もっと小さくしろよ やかましいぞ!
毎度
ご町内を
おさわがせ
いたしてます
こちら亀有公園《かめありこうえん》…

コーヒーでものめや
あ・り・が・とう
どうも……
ちゃんとマイクをはずしてのめよ
わか……
って……
ま……
ふう やっと静かになったよ かわったやつだ!
にぎやかですからねえ
おやどうした? 急におとなしくなって…
どうかしたんですか?
拡声器《かくせいき》の電池が きれて音が でないらしいんです ナマの声じゃしゃべれないっていってますよ
わしゃもう しらんよ そこまでめんどうみられん!

★週刊少年ジャンプ1980年10号

部下一同より の巻

会費
だせよ
千円!
先週
はらった
ばかりじゃ
ないです
か……
今月は
二回
あるんだよ
早くだせ
ちゃんと
会費 保管して
いるんでしょうね
つかいこみは
しないで
くださいよ
つべこべ
いわずに
だせよ
つぎ
麗子
二千円
えっ
どうして
わたしだけ
二千円
なの!?
わしの分
たてかえてくれ
先日 ラジコン
ヘリを買って
金が ない!
しようが
ないわね
ちゃんと
返してよ
はい はい
まいど
あり!
故障中
消火器
なにやって
いるんだ
両津!

こんどは高利貸しでもはじめたのか？
い…いえべつにそんなわけでは…
なんのために人からお金を集めてるんだ理由があるのか？
めぐまれない人に愛の手をさしのべる運動でして募金です
そうか じゃあわしから本署の係の者にわたしておこう
ヒョイ
あっ
部長けっこうですよ
む…どうせ署にもっていくんだろ
もう少したまってから自分がもっていきますから
サッ
そうか…
ふうびっくりしたあぶなく寄付金にされるとこだった
いいわけが悪いんですよまったく！
消火器

しかし おまえ 部長の 誕生日に プレゼントを 買うための 金ですなんて 本当のこと いえるか?
それは まあ そうですけど
もう お金 そのくらい たまれば いいんじゃ ない……
そ そうだな 二万円くらい たまったからな……
よし それじゃ わしが 明日 プレゼントの 品物を かって こよう
でも まだ なに買うか きめて ないでしょ
だから わしが デパートへ みにいって いい物を みつくろって 買ってくる
先輩が ひとりで きめるん ですか!
なんだ そのいい方は わしには 全然 センスが ないみたいに いいやがって!
い…いえ べつに そんな つもりじゃ…
心配だわ いったい どんなのを 買う気 かしらね
たべ物で なければ いいけど……

立喰
そば
うどん
ブブー
ちくしょう よりによって 部長の家に いく途中で パンクしやがって!
わしに代表で もって いかすから こんなことに なるんだ…
プー
まったく もう!
ようし こんなもんで いいだろう
シャカシャカシャカ

まったく
家が 山奥に
あるんだから
な………
たずねる
人の身に
なって
家たてて
ほしいよ
ガタ
ありゃ
ガタガタ
ガタ
ひでえ
また
パンク
かよ!
こんどは
まえだ!
部長の
誕生日は
ろくなことが
ないな!
たたりでも
あるんじゃ
ないのか!

きょう両津さんいらっしゃるの?
なにを血まよったのかしらんが用事があってくるといっていたもうとっくについてもいいころだがな…
正月料理もないのになぜあいつが家にくるのかわからんいやな予感がする…
そうそうきょうはパパにおくり物があるのよ
きょうはお誕生日でしょうはいおめでとう
そうか!すっかりわすれていた
ほうこれはすごい!皮ぐつじゃないか!
気にいってくださったかしら
プレゼントは実用品が一番だ大切に使おう

あら！きっと両津さんよ
よりによって誕生日にくるとは最悪の日になりそうだ
どうも遠くから大変だったでしょう
まったくえらいところにマイホームをたてたもんだなあと…感心するやらあきれるやらではははは………
どうぞえんりょなくあがってください
ところでアレいますか今家にちゃんといます？そりゃあよかった
ちょいとアレにあげる物をもってきましてね
まあごていねいにいつもどうも…

いやあ
部長
どうも!
かわいい
部下が
上司を
したって
やってまいり
ました
かわいさ
あまって
にくさ
千倍だよ
いそいで
きました
もんで
朝から
なんにも
たべてないん
ですよ
そうか
それは
大変
だったな
おーい
おとといの
残り物が
あったろう
あれを
両津に
だしてやれ!
お茶は
いらんぞ
水で
十分だ
いったい
なんの用
なんだ
転職先でも
みつけて
もらいたい
のか…ん?
私だって
すきで
きたわけじゃ
ありませんよ
代表して
きたんです
からね!
これ
我われから
誕生日の
ささやかな
プレゼント
です!

わしに プレゼントを もってきたのか?
はい
ほ 本当に わしにか? まちがいは ないんだろうな………
そうですよ…
ぬすんできた品じゃ ないだろうな ちゃんと買ったのか?
しつこいなあ…
お…おい ひろみ なにやってるんだ 早く すしでも とらんか! 並《なみ》でいいからな 早くしろ!
はい
わざわざ両津がきてくれたんだ ナポレオンをあけようじゃないか
うおっ すごい! ナポちゃん
あ……あまりのむと 体に毒だぞ!

これはうまい！人の酒だと思うとよけいにうまい
一杯くらいでやめておいたほうがいいぞ……
これでつまみでもあれば最高ですね
わりとえんりょなくいうな
アジのひらきぐらいしかないがそれでもいいか?
そりゃあもう！たべられる物ならなんでも！
こりゃ重いなあ…いったいなにがはいっているのかな?
こりゃあうまい！このすしは生きてますよ酒もうまいしここは天国だ！はははは
ムシャ
ムシャ

わかった!! 卓上ライターだろ? あたったか!?
はずれ 全然ちがいますよ
どれどれ あけてみよう 置き時計かな?
2:07
おや……
な…なんだ これは…
エンピツけずり器! けずりすぎストップとい、しん調節ダイヤルデジタル時計つきの最新型ですよ
いや なにね デパートへいったら進学セールとかで文房具がめちゃくちゃ大安うりをしてたんですよ
ムシャ
ムシャ
こりゃ買ったほうが得じゃないかと思いましてね ぜひ部長にと3台買ってきました ほかのふたつは色ちがいのランプがつくんです
ひろみさんが結婚してお孫さんがうまれその子が中学にでも入学した時につかってください
デパートの店員がけずりの実演をしてくれましてね なんと3秒でけずれてしまうんです
私なんかおもしろくてたてつづけに10本もね!
なんなら今やってみせましょうか 早けずり得意ですから 私………
いや…いい……!

ま…まあ せっかく おまえたちが 買ってくれたんだ ありがたく いただくよ
そうですよ とにかく 安かったんですよ 半値に近かった
おや…… もうひとつ あるぞ これは なんだ?
それ!
それは 私自身の センスで えらびました
家族全員で あそべる ゴキブリ たたき ゲームです
ここに 乾電池を ひとつ いれれば OK《オーケー》です
このように 1匹の ゴキブリが 次つぎと とびだして きます
ガチャ
ガチャ
HELP!
でてきたところを このハエたたきで 思いっきり たたくわけです これが なかなか むずかしい!
やっつけた 数によって 得点表が あって どのクラスか わかる わけです
てめえ この!
ちくしょう 死ね!

やった!みてみて!
100点!天才的名人とでてます
部長もどうですいい運動になりますよ………
いや……
あまり…部長はすきじゃなかったのかな……
いいやそんなことはない気にいっているぞ…
やはりちょっと幼稚すぎるオモチャだったんだ
やはりトミーのレッドミサイルにしたほうがよかった…
両さんもう少しめしあがったら……
そりゃどうもどうもあっははは
いやあ本当に部長あっての私たちですいつもたよりにしてますよ
中川たちなど部長がいるから生きてられるようなものですよまさに部長は生き神様です
こいつのほめ方は極端すぎる

そうだ 中川や 本田も ここによべ 電話して みろ
え!? あいつらも よぶんですか?
せっかく だから みんな 集まって 食事でも しよう
ちぇっ 酒が へっちまう なあ……
大勢 くるのなら バーベキューの ほうが いいわね 庭に用意 するわ…
うむ そうして くれ!
部長 みんな すぐ くるそう ですよ
そうか…
ドドドドッ
ドドッ
ドドッ

部長 どうも おめでとう ございます
いやあ いそがしい ところ 悪かったな
さあ どうぞ こちらに 用意 してます
いいか おまえら 少しは えんりょ しろよ
ちぇっ
わあ すごい
こりゃあ おいしそう だ!

外でやくのもなかなかおつなものだな
そうだね……
自然の中でいいわね
まったく東京じゃムードがないからな
ジュウウ
パパきょうはいい誕生日になったわね
うむまったくだはははは
ジュウウ
なかなかやけんぞ火力が弱いんじゃないのか…
早すぎるんですよもっとやかないと…
もっともえるものはないのか……
おっこんなところに油があるこれを少しかければよくやける…
おい中川ちょっとどけ！
えっ
ジュウウ

ちょっと
よくやける
ように
油をそそぐ
油？
先輩！
それは
ガソリン
ですよ！
えっ
なに!?
うわっ
うわっ
うわーっ
火事だ
家がもえる
ぞっ！
パチ
パチ
けすんだ
早く
水を！

★週刊少年ジャンプ1980年13号

巻

ヘビーQ《きゅう》!?の

柴又《しばまた》・帝釈天《たいしゃくてん》

帝釈天にきたのもひさしぶりだな
そうですね
よく ここで映画のロケをやってるんだ わしも よくエキストラにまぎれて出演したことが ある
へえ
わざとカメラの前を走りぬけるんだよ 手なんかふったりしてな はははは
しかしそんな努力にかかわらず映画館で やる時はみんなカットされている…せっかくの名演技がフイだよ
せっかくきたんだから草ダンゴでもたべていきましょう
いいねえ 金はおまえもちね!

おい あそこだぞ ヘビ使いは!
なに ヘビ使いだと!
めずらしいですね
はい はい おさないで その前から はいらないで ちょうだいよ
お子さんは はなれていて ヘビが かみつくと 大変だからね
毒ヘビ 実演
ガヤ
ガヤ
ここに はいってるのは 東南《とうなん》は アジアで とれた キングコブラ
世界で もっとも 大きい毒ヘビ だよ
早く みせろよ
ザワ
ザワ
そう あせらない あわてると 血圧に よくない!

なにしろこの猛毒のヘビをつかまえるまで4人もの男が 命をおとしているんだよ
えっ
それだけ気の強いヤツだからね ここで みていかないと一生の損！
上野《うえの》のパンダやライオンでもこいつをみりゃにげだすくらいだからね
へへっなかなかおもしろそうだな
そうですね
その前に……
わが社の新製品をみてもらいましょう
これは 両目いっぺんにさせる目薬 今 デパートでは売れに 売れて品切れでありませんっ
きょうは特別 ここにあつまった人たちだけにおわけしますよ大サービス300円
ヘビ
演
ちぇっ やっぱり物売りか
ゾロ
帰ろ帰ろ
ゾロ
あっこりゃいかん！

キングコブラが一匹 にげたかな 動く物をみると すぐ かみつく やつだからね
うわっ
毒ヘビ実演
きゃあ
わあっ
だいじょうぶ 動かなけりゃ 決して かみつかない 帰ろうと しないほうが 安全ですよ その場にいた ほうが安全 あえて 断言します
ちょうど いい ここに ヘビの 一番にがてな 薬が ある
マングースの油
ヘビの天敵《てんてき》 マングース の油 これを足首に ぬれば ヘビは こわくて 近づかないよ 1個200円
わたしに ください
ぼくも ひとつ
こっちも
中川 買って おかなくて いいのか?
心配 いりません よ…
さあて それでは いよいよ コブラの 登場!
うわっ
でたっ

そんな はなれなくても だいじょうぶ ヘビの攻撃範囲は 首のたてている 長さだけだよ
この範囲内に はいらなければ かまれる 心配は ないからね
それでは これから 素手《すで》で このヘビと たたかいますよ
あっ
ガッ
うおりゃあ～
ガッ

でやあっ
なんの!
ええい
うおっ
すごい!
うむ
なんだか
わからないが
すごい!
コブラに
コブラツイストを
かけてるぞ
さすが
プロ!
どうです
猛毒の大ヘビも
ひとひねり
ぐわっ
あっ
かまれた
うっう…
毒が… まわってきた……
な…
なんの!
死ぬ前に
ひとこと…
これこそ
わが社で
開発した
精力剤
〝ストロングX《エックス》〟
これさえ
あれば!
ストロング
X

これをひと口のめばどうなるか？
ほれこのとおり元どおり
ジャキーン
毒などたちまち消化してしまう
元気モリモリスタミナバンバン最高のきき
おおすごい！
よくきく薬だ！
本日はひと箱五千円のところ千円でおわけしますいます大サービス！
ひとつぶのめば3キロは走れるエネルギーがありますよ
ガヤ
ガヤ
いやあ真にせまるシーンだったな
そうですね

あんたさっきの迫力あったよ
いやあどうもどうも
草ダンゴたべにいくんだがよかったらおごるよ
そりゃどうも
どうせこいつの金だから遠慮なくたべてくれははは
ほうサラリーマンをやってたのか……
一流企業に10年いたんですがね 仕事に生きがいがなかったんですよ
今の生活のほうがきびしいけど生きてる実感がありますよ男一匹 気楽なもんです
だいぶシビアな話になってきたな

わしなんか 先のことなど 考えたことなんか ないぞ せいぜい 来週の 競馬のこととか 明日 なん時に おきるとかだ…
毎日 おもしろ おかしく 生きた ほうが 勝ちだ
ははは……ん
ぎゃあ コブラだ
うわっ
ははは だいじょうぶ ですよ
わしは さっきの薬 買ってないぞ かまれたら 最後だ!
かまれても 平気だって ほら!
あっ
パク
ここだけの話 このヘビは コブラじゃ なくて 白ヘビに 色を ぬっただけ もちろん 毒もない!
なんだと!
キリンビール
それじゃ 全然 こわくない
そう でしょう 私のよき パートナー ですよ

するとサギじゃないか！サギだぞ
!!
ヒョイ
本物もいますよハブがちゃんと！
うぎゃあハブだあ！
ははは びっくりしましたか？
ずいぶんいろんなのがはいってるんですね
大事な商売道具ですからね
うわっ
ガタッ
大変だヘビがにげだした！
なんだと！

みんな
にげろ!
毒ヘビが
にげたぞ!
ガタッ
ダンゴ 200
草ダンゴ 200
やきそば 300
ところ天 200
あべ川 300
うわあ
——っ!
ガタッ
きゃあ
ぎゃっ
かまれたら
大変だ!
ぎゃあ
ダッ
ダダッ
先輩
ぼくたちまで
にげて
どうするん
です!
つかまえるん
ですよ!
グイ
いやだ
ヘビは
こわい
警官が
そんなこと
いっていて
どうすん
です
やだ
やだ!
わしも
にげる

この場は私にまかせなさい！あなたたちは早く外へ！
ほらヘビ使いがにげろといってるぞ
ダッ
まったくもう
あいつだいじょうぶかな……
ばかに静かですね
とらや
ライオン レモン
LION LEMON
おーい全部つかまえたのか？
返事がありませんね
どうしたんだいったい
ありゃあいつもどこかきえちまったぞ
あっ店のお金がなくなっている！

わたしのバッグもなくなっているわ
ぼくのカメラもない！
あいつまさか…
おもいだしたぞ！
ヘビをつかってのおいだし犯ですたしか指名手配になってました
ばか！なんで早く気づかなかったんだ！
手配犯人に酒をおごってやったなんてばれたら大変だぞ
はい！
しかしどこへいったのかさっぱりわかりませんよ……
うーむちくしょう！
泉谷ソロバン塾
おっさっきの白ヘビがのこっていたぞ！
よしこいつをつかって！

こいつに
ご主人の
ところに
案内させる
みんなが
変な目で
みてますよ
かまわん
こっちは
仕事だ
ふう
こいつ
足が
ないわりに
早いな
おや
とまったぞ
あっ
いた!
いけね!
さっきの
お巡りだっ
毒ヘビ
実演中
どうやら
この近く
らしいぞ
あの
人だかり
じゃない
ですか

近づくと
毒ヘビが
おそう
ぞ!
バッ
ばか
同じ手を
くうか!
こんな
インチキ
ヘビなど
こわくない
うわっ
でやあ
面!
どうーっ
こて
!
どうだ
このやろう
人に酒代
ださせ
やがって!
うわあああ
たすけて
くれーっ

うぎゃ お巡りさん 早くつかまえてくれ!
わははは そんなに わしが おそろしい のか!
せ…先輩 そのハブは 本物 ですよ!
な なにっ
ぎゃあ 悪かった! バットがわりにして 悪かった あやまる
おいっ ヘビ使い こいつらに 理解させて くれ!
太田裕美
SOUTH WIND
ジャー
まったく 度胸が いいのか どっちだか わからないな

★週刊少年ジャンプ1980年17号

★発明の日！の巻

きょうは荷物をつんだトラックが多く通るなみんな夜にげでもしてるのか？中川
引っこしですよ先輩！
4月になると新しく東京にくる人が　ふえてきますからね人の動きがはげしい時期なんですよ
特に日よう日はあっちこっちで引っこしが多いですよ
地元の人間にはあまり縁がないことだな

本をタテにしておよみください。

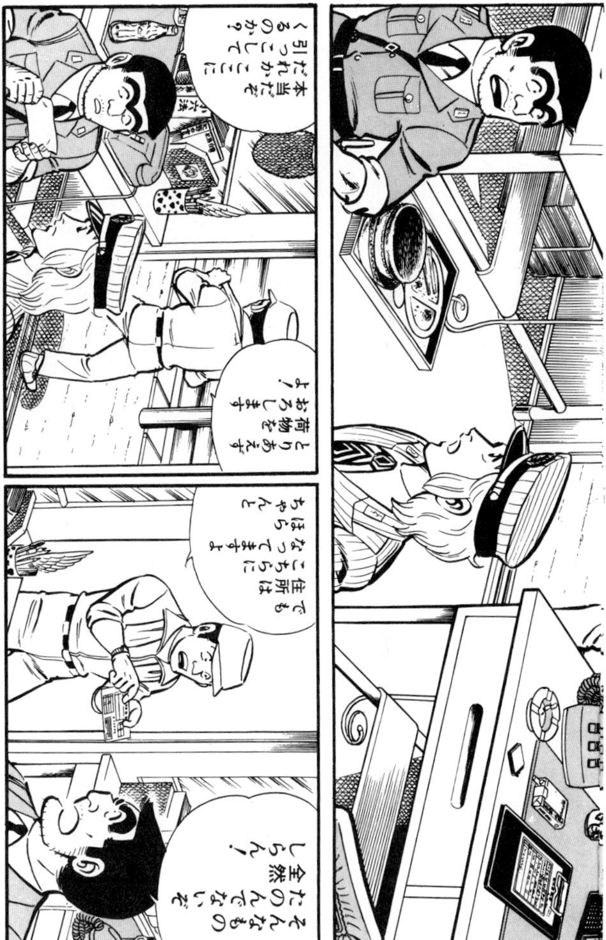

■このページは　首を右にまげるか

よいしょっと!
ちょっとどいてじゃまになるから!
よし次だ
ちょっとちょっと
先輩どうするんです?しらない荷物ですよ
あいつらがはこびたいといってるんだから仕方ないだろう
そんな
まあいいじゃないかタダで品物が手にはいるんだけっこうな話じゃないか
しりませんからね!
まだまだいっぱいあるな…
どうぞどうぞえんりょなくじゃんじゃんもってきて!

ふう これで全部だ…
これじゃ まったく仕事に ならないよ
それじゃ あとは よろしく
はい ごくろうさん！
ごくろうさん……て どうするんです この荷物…
どうも せんよ ちゃんと使うだけだ……
みろ この冷蔵庫 古そうだが まだまだ使えるぞ！
本当に使う気ですか？

ありゃ この冷蔵庫 ひえてるぞ
おかしいな ちゃんと 作動して いるぞ!
君は光の♪
おい こっちの テレビも コンセント なしで ちゃんとつくぞ
まさか! 電源が はいってない んですよ
本当だよ ほら! 氷も できてるぞ
この洗濯機も ちゃんと 動くぞ!
グオオオオ
いったい どうなって いるんだ
荷物が とどかないので 近所を さがしまわって いたんです
すると これは おまえさんの 荷物か?
いやあ こんなところに とどいて ましたか…

下町に引っこしたのは初めてなものでね…
ちぇっせっかくタダでもうけたと思ったのに！
それにしても電気製品が電気なしで使えるのはどうしてですか？
ああそれね
簡単ですよそれぞれにバッテリーを内蔵してあるんですよ
なるほどそんなとこにはいっていたのか……
ドアをあけるたびに電気がチャージされ自家発電するんです
だからコンセントがないわけだな
この洗濯機もベランダにおいておけば太陽電池がはたらき使用できるわけです
お日さまが燃料か！
近ごろは便利なものがうりだされたものだな…
ちがいますみんな自家製です
なに！みんなおまえさんがつくったのか!?
いいわすれましたが私は〝東京発明研究所〟の所長をやっています

私は どうも一般の電気製品が信用できなくてね自分でつくらないと気のすまないタチなんですよ
すごいタチだな
電話でもコードレスのものを すでに10年前につくったほどです
そりゃすごい!
大発明じゃないか!
持出禁止
それがひとつ問題がありましてね…
まさか10メートル以上はなれるときこえないとかいうんじゃないだろうな
いやなんキロはなれていてもきこえるんですがね……
ただアルカリ電池をつかっているため電波が とどくのに少しょう 時間がかかりましてね
どのくらいかかるんだ
こちらがしゃべってから次の日の朝にむこうへきこえるという感じで……
そして 相手が〝ハイ〟と返事をして こちらにきこえるまでさらに 一日かかり〝じつは〟といって相手に きこえるまでが またさらに一日かかり……
そんなもんつかえるか手紙のほうがよっぽど早い!

しかし これぞ！という 大発明をしたんですよ
いったいどんなやつだ
アウトドアライフに最高！外で きけるステレオ！名づけて〝あるく男〟とよびます
だいたい想像はついてきたぞ……
これぞ'80年代のナウいステレオ 若者に 絶対うけますよ！
ガラ ガラ
別売りでAM《エーエム》・FM《エフエム》〝あるく男〟もあります 進駐軍《しんちゅうぐん》放送もはいります
重くないのか！それ!?
なれればだいじょうぶ 5キロほどですから
軽量小児用〝あるく男〟も用意してますからね

前につんでるのはなんだ？
バッテリーですよ これなら3日連続できますよ
背中にオープンテープをいれるだけ わずか 5分で用意ができます
オープンテープねえ……
バッテリーが5キロあるので坂道をのぼる時が少しょうキツイですがね
これを商品化したらあたると思いますよ
着流し姿で歩いていたらシトシトピッチャンってふん囲気だな
ガラ
ガラ
BASF
今はオープンリールよりカセットの時代だよ
カセット!?
こんなふうにテープが箱にはいったコンパクトなやつ……
おお それならつくりました
私 オーディオマニアですからね カセットなら20年前につくりましたよ…ええ
また想像がついてきた
ほら こんなにコンパクトになりました
DDT
C-240
どこがコンパクトだ！

これを 専用の カセット デッキに いれるだけで OK《オーケー》です ワンタッチ
もう いい われわれが だんだん 小さく みえてきた
東京発明研究所
いい音 ですよ バッテリーが 新しい ですから
そう だろうが 今は いい あとできくよ
それより この荷物を はこびだす ほうが 先だ
残念 だなあ…
それじゃ 私の車で 少しずつ はこびますか
車は あるのか ?
車が あれば 楽勝じゃ ないか…
はい
みかけない 車だな これも おまえが つくったの か?
はい そうです
東京発明研究所

これもバッテリーで走るわけか…
いえ これは畜フンを燃料にして動きます 木炭車みたいなものです
チクフン…ってなんのことだ…中川
動物などのフンですよ
クソで走るのかよ信じがたいことだよ
今 動かしてみせますよ 3時間ほどおまちください
3時間もかかるのか!?
デリケートな車ですので……
デリケートだかバリケードだかしらんが手間のかかる車だ……
パ
パ
パ
パ

どうです なかなか よく走る でしょう
なんか におい そうな 感じだな
ところで 引っこす場所は どこなんだ
7丁目に ある 西洋館 です
えっ あの 洋館か!?
ゆうれいが でると いう うわさの ところだ
だから 安く かえたの ですよ
よく あんな ところに いく気に なれるよ
さあ つき ましたよ

みるからに なにかが でそうだな
そうは みえません けどね…
ギギィ…
ひゃあ──っ
バサ
バサ
コウモリ ですよ こわがること ありません!
キー
キー
こう暗くちゃ なにもわからん 電気など すでに とめられて しまってるぞ
心配 いりませんよ 用意して きました

これで明るくなったでしょう
すごいものをもちだしてきたな!
TOKYO・300W
キィ
キィ
キィ
しかし明るいなははは
そりゃあもう300ワットですから…
キィ
どうでもいいけどじっとしていられんのかよ
キィ
キィ
これは動いてないとだめなんです!
自転車のライトと同じですとまるときえてしまいます
キィ
光がグルグルまわると目がおかしくなる…
動かすほうも大変ですよ
キィ
キィ
ちょっと交替してくださいつかれてきた…
じょうだんじゃないよバカバカしい!
しかたないバッテリーにきりかえましょう
初めからそうすればいいのに…

なんとか部屋らしくなりましたねえ…
なん年も人がすんでいなかったからホコリだらけだぞ…
ほんとにまっ黒だ…
ちゃんとコンピューター掃除機をもってきました
コンピラ掃除機?
このとおりゴミをおいもとめてすすんでいくわけです
ほうこりゃ便利だ
ブーン
ブーン

ゴミがたまると自動的に袋につめてだします!
パ
はははおもしろい!
じつに精巧ですね電気で動くんですか?
ブーン
なあに単なるゴム動力だよ……
そこが信じられん
まだ交番に荷物がおいてあるからとりにいってくる
ぼくも手伝いましょう
おおいわしひとり残るのか!?
こわいんですか?先輩…
ばばかいうなちっともこわくなんかない!
それじゃちょっといってきます
ああいってこい
バ

あいつらがいったとたん急に静かになったな…
ぎゃあああ
なんでえさっきの掃除機か!
ブーン
きさまゴム動力のぶんざいで人間さまをおちょくりやがって!
ブーン
くそにげ足の早いやつだ……
ぎゃあん
ガシャ
ヨロイか…びっくりさせやがって!

まったく
気味の悪い
屋敷だ!
ガチャ
ぎゃあああん
シャンデリア
がおちたのかよ
まったく もう
ノドが 痛く
なってくるよ
ぎゃあ
ああん!
ガシャグシャ
あっ
掃除機が
こわされてる
ぞ!
えらい力で
つぶされた
ようだな
ぞ~~っ

こういう時は
テレビの
楽しいのでも
みて　気を
まぎらわすに
かぎる
しく…
しく…
くく…
ぎゃあっ
この屋敷に
悪魔が
いるに
ちがい
ない！
でてこい！
きて
みろ！
勝負
つけて
やるぞ！
カチャ…
きたな！
てめえ
思い
しれ！
ズギュ
ズギュ
うわっ
ああっ

なにすんですか先輩！殺す気ですか!!
なんだ中川かびっくりさせるなよ
びっくりしたのはこっちのほうですよまったく！
悪魔がこの屋敷にとりついているんだよ！
まずいことになったぜいきなり警官がはいってくるとは思わなかったぜ
だれか仲間のやつが裏ぎりやがったにちがいない
おれたちゃ指名手配になってるんだぜここから一歩でもでたらすぐつかまっちまう
わかっているよそんなこと！
もしみつかったらやつら3人生かしてここからださん

本当だよ たしかに この屋敷に だれか いるんだよ
よろしい 私が 調べて あげましょう
これは 本来 鳥をとるための 品ですが 周波数を かえれば 人体にも 効果あります
なに すんだ いったい!?
超音波を だすんですよ もし この近くに 人間が いたら ひとたまりも なく とびだして きますよ
うわっ あぁっ
あっ だれか いたぞ!
あっ あの男は 手配犯 ですよ
なんだって!
あの男たちは 爆弾づくりの 犯人なんです よ!
全然 きこえん! ちょっと まて 今 これを とるから……

ぎゃ！
ぎゃあ
ああああ
まったく
もう……
この人には
脳みそが
あるのか!?
にげたぞ
おえーっ
正体さえ
わかりゃあ
こわくは
ないぞ！
てめえーっ
この！
うわっ

まてーっ！
ダ
ダ
ダ
くそ！
あのじじいを人質にとってやる
しまった！
おじいさん早くにげて！
あっじいさんがあぶない！
ヘタににげるとぶち殺すからな！
まだ殺されるわけにゃいかん！
ぎえっええ！

悪いやつには電気ショックをあたえて真人間《まにんげん》にせんとな!
こいつ! かんねんしろ!
しかしじいさんこれでもこの屋敷にすむ気なのかよ?
もちろん最高の場所ですよここは!
さあいらっしゃい現代の恐怖見学料おひとり500円これぞ本当の本物!
恐怖の館
本日開店
東京名物恐怖
ガヤ
ガヤ
あのじいさんガッチリしてるよころんでもただじゃおきん…!

★週刊少年ジャンプ1980年21号

真夜中の
パイロット！の巻

はい 先輩の 番ですよ
こんど パスしたら もう おわりよ
亀有公園前 派出所備品
はい ダイヤの キング

中川！三つ葉の8もってるんだろ意地悪しないでだせよ
それじゃゲームになりませんよだめ！
てめえこのやろう人が苦しむのをみてよろこびやがって～
チャ
そんな問題じゃないじゃないださなきゃまけよ！
どうなの？まけなの？だせるの？
うーむそれが…
うーむちくしょう……
やめたやめたトランプなんかやめ！
きゃあ
だいたい仕事中にトランプなんてやることがまちがっとる！
先輩がやろうといいだしたんじゃないですか
本官は不愉快だ！ねるからなっあとはおまえら勝手に夜勤やれ！
いつも最後はあれだ……

ちぇっ おもしろくねえ 勝負にまけた あとは ハラが たつ
中島ゆみき
生き造りでもいいですか
和歌山オレンジ
こういう日は 早いとこ ねるにかぎる
ふああ おやすみなさい
パチン
バタ
ガアア
グオオオ

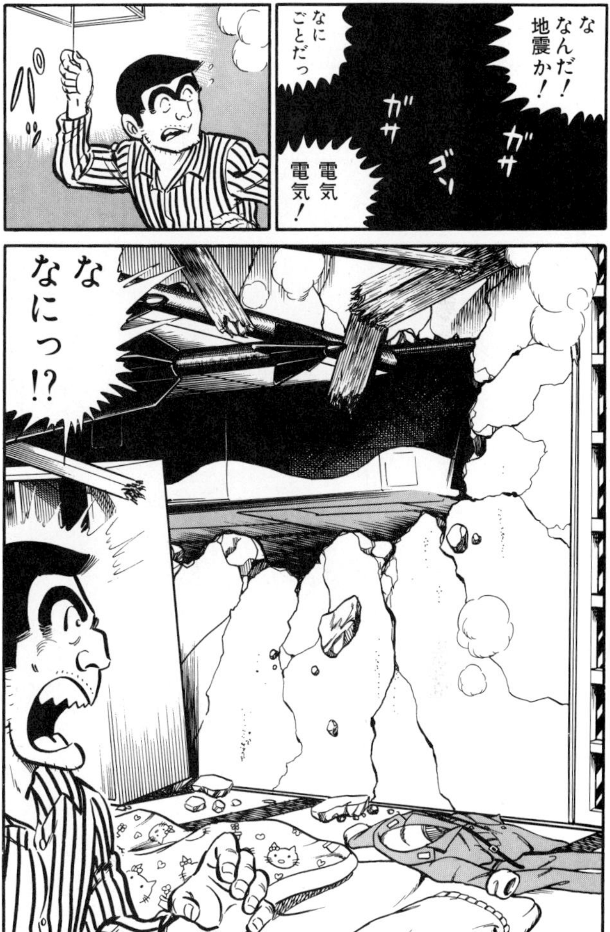
ななんだ！地震か！
ガサ
ゴン
ガサ
電気電気！
なにごとだっ
パッ
ななにっ!?

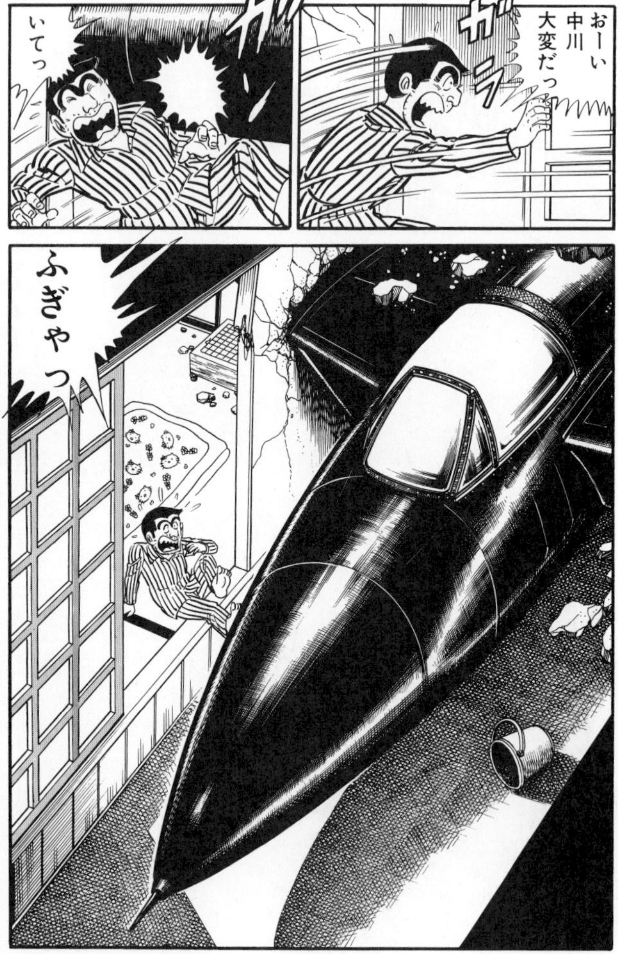
おーい
中川
大変だっ
ガラ
ガツ
いてっ
ふぎゃっ

先輩 だいじょうぶ ですか!?
なんだこりゃあ
この飛行機はつい落《らく》してきたのか!?
どうも不時着らしいですね!
こんな夜中に自衛隊の訓練でもしてるのか…?
さあ……
機体に どこのマークもはいってないし……

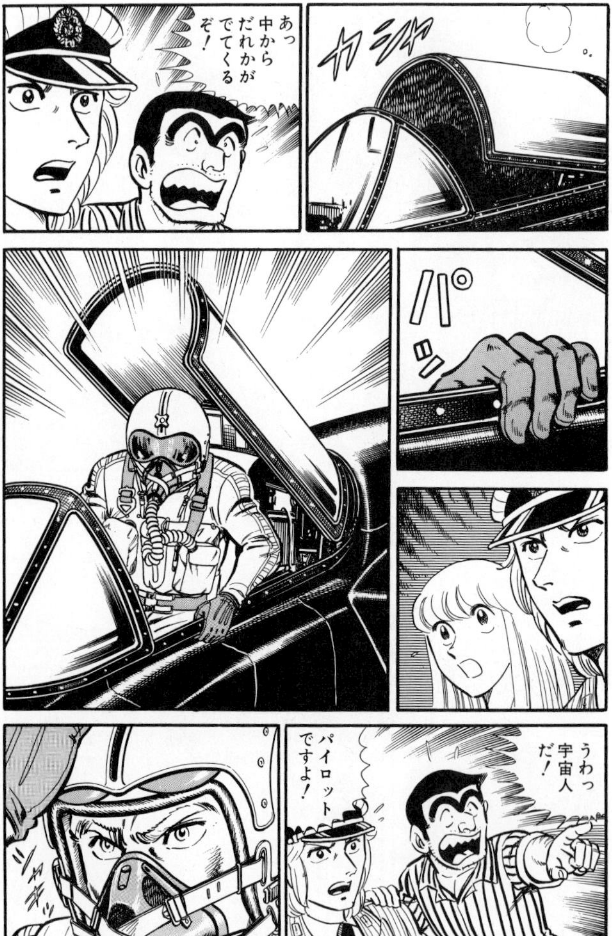
カシャ
あっ
中から
だれかが
でてくる
ぞ！
パ
うわっ
宇宙人
だ！
パイロット
ですよ！

わっ 外人だぞ 外人だ
!
あの人 ケガしてる みたいよ
近よるなっ
うっ
チャッ
このやろう うちあい なら こっちも まけんぞ
先輩!
まだ 相手は どこの だれだか わからないん ですよ
銃を つき つけられて だまって いられるか!

とにかく手あてをしないといけないわ
近よるとうつぞ！それ以上近よるな！
中川！なにをいってるんだこいつ！
さあ…ロシア語のようですが…早口でききとれません！
きゃあ——っ
ズギュッ
てめえーっこの！もうがまんならん！
両ちゃんここはわたしにまかせて！
近よるな！
うっ
うわっ

ズ
ダ
圭《けい》ちゃん この銃はあずかってたほうがいいわ
OK《オーケー》!
おそろしい あっという間に男をなぎたおしてしまった!ケガしてるのに…!
ああするのがいちばんですよ
あっ さっきの音で住民どもがあつまってきたぞ
ガヤ
ガヤ
お巡りさん なにか でかい物音がきこえたぞ なにかあったんかい
なんでもない!さっさとかえれ!
派出所の中でパーンと音がきこえたけど
ありゃ…花火だ 花火をやっていたんだよ!
公園になにかおちたんじゃないのか?
おちない 絶対 なにもおちてない!

みに
いったほうが
いいんじゃ
ないか
なんなら
わしたちが
いいから
よけいなこと
しないで
さっさと
かえってねろ
おとなしく
かえれと
いうのが
わからんのか
この!
ギャッ
ひゃあ
住民には
気づかれ
なかった
ようですね
この場は
なんとかな…
朝になったら
みつかるぞ…
さっきの
外人さんの
ほうは
どうだ
ほう
ずいぶん
おとなしく
なったじゃ
ないか……

たいしたケガじゃないんだからもうだいじょうぶよ……
さっきはごめんなさいね手荒くあつかって
どうもありがとう
え？
ありがとうってお礼をいってるんだよ……
いいのよそんなに気をつかわなくたって…
中川あいつなんで日本にやってきたんだ……？
さあ事故でたどりついたのかあるいは……

亡命《ぼうめい》で日本にやってきたのかどうか……
亡命でどうして派出所にやってくるんだ!
とにかくこれからぼくがききだしてみます
先輩は戦闘機をなにかでかくしてください
そうかみつかったら大変だからな……
まったくとんだ訪問者だよ
こりゃひどいな…これじゃかくしようがないよ!
とにかく木でおおいかくしてみよう
ふうなんの因果で夜中にはたらかにゃならんのだ

まったくダメだこんどは全然しゃべらなくなったよ
食事はどうなのかしら
おなかすいてるんじゃないの?
かもしれないいなぼくのほうもペコペコだよ
なにかたべますか?えーと…
わかりますあなたのいうこと
あ
あなた日本語しゃべれるの!?
ハイ少しだけマスターしてます
わたしはアレキサンダー・コズロフです
麗子といいますよろしくね

ふう なんとか かくしてきたぞ つかれた つかれた!
早いところ どこかに はこびださんと いかん! いずれ みつかるぞ
ぼくのうちの 航空隊に 連絡して みます
もう ハラが へったよお 麗子 なにか つくってくれ 〜〜っ
あ! おまえら みたぞ!!
SUNAKAKE BABA ©
おーい 中川! 麗子が外人と デキち まったぞ
へんな いい方 しないで よ!

本当のことだろうが！いちゃついていただろうふたりで！
ペンダントをみせてもらっていただけでしょ！もう！
レイコさんのいうことは本当です
なんだ日本語しゃべれるのか おまえ…
だいたいなあ人の派出所にいきなりとびこんできやがって！非常識もはなはだしい
これからとりしらべてやる！
名前と住所はわかった！それからえーと免許証だな

免許証をみせてみろ！前方不注意安全運転義務違反だ
パイロットライセンスでそういうのはありません
さからう気か青い目玉だからってえらいと思うな！この
あなたの目はキャビアのように小さい
なんだと！日本人をなめるとどういう目にあうか……
両ちゃん夜食ができたわよ
あっそう！ははは メシね！最高！
お口にあうか…わかりませんがどうぞ
はい
上等だよまずいなんてぬかしたら即たたきだす
あっ
ポロ
ごめんなさいフォークのほうがつかいやすいわね！
まて まてあまやかしちゃいかん！

こうやって しっかり もつんだよ 親指と 中指で…
あっ
バカ! 指を からませるな ぶきっちょ!
おまえの 手の構造は どうなって いるんだ! こうだよ このバカ!
こだわる 人ね……
こうね こう!?
まだ 納得 できんが… そんなもんだ
日本の たべ物 初めてですが 非常に おいしいです
あたりまえだ 日本の米は 世界一だ かめば かむほど 味が でる
クス
…………

ピーポー ピーポー ピーポー
ん
近所の人が警察に連絡したな
だいじょうぶ心配しないで………
わしがおっぱらってくるからむかえをいそがせろ!
はい
いやあ夜遅くなんだね?なにかあったの?
この近くでなにかがおちる音をきいたとのことだ!
そういえば荒川《あらかわ》のほうにオレンジ色に光る物がおちていくのをみたぞ!
なにっそれだ!
ピーポー
いそげUFO《ユーフォー》だぞ!
ピーポー

もうすぐこちらへくるそうです……
そうか助かったこれ以上ごまかしきれんぞ
あいつの国でもいなくなって大騒ぎしてるんじゃないのか…
おそらくそうでしょうね
とにかく今夜はぼくの家にかくまっておきますよ
翌日
おむかえにきたようだ
ドドドバババ
先輩留守番していてくださいすぐはこんできます!
わしひとりのこるのか!

な…なんのマネだ!? 非常用の出口でもつくったのか!?
い…いえゴジラがきて…大あばれしまして…
両津…紙とエンピツをもってこい
えっ漫画でもかくんですか?
もはやわしにはおまえたちのめんどうをみる自信はない…辞職して他の班長にまかせる…
部長ーっはやまらないでくださいよこれにはワ…ワケがあるんです

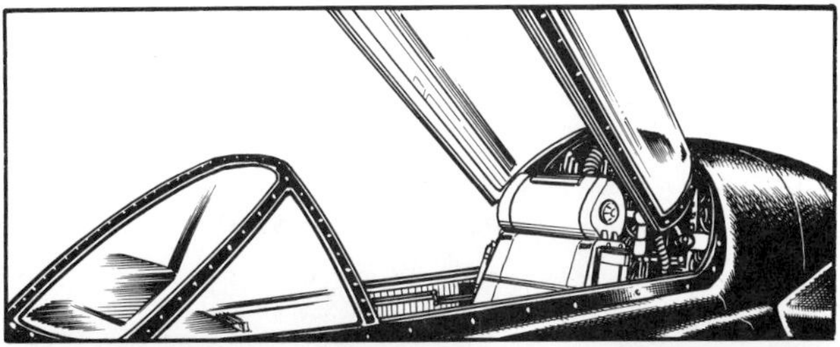

★黒い戦闘機でやってきた
コズロフ少佐の正体は…
目的はなにか⁉　そして
麗子に微妙な変化が…

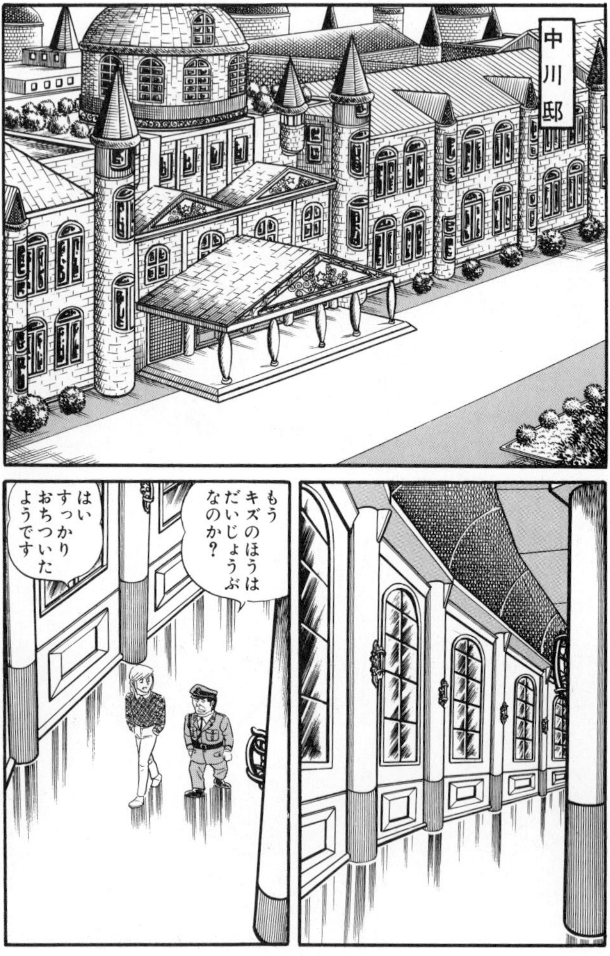
中川邸
もう
キズのほうは
だいじょうぶ
なのか?
はい
すっかり
おちついた
ようです

このことが世間にしれたら大騒ぎになるぞ 亡命だ 領空侵犯だとか…
そうですね
とにかくコズロフ少佐にいってみましょう
バカ それはちがうだろ こうだ!
先輩 なにおしえているんですか
日本語のかき方だよ この男 ものおぼえ悪いよ
両ちゃんのおしえ方が悪いんじゃないの?
うるさいっ 人の教育方針に口だしするな!

どうして日本語なんておしえているんですか?
日本ですむにはよみかきができたほうがいいからおぼえたいっていうんだよ
え! 日本にすむ……ですって!?
本気ですかコズロフさん!
べつにいいじゃないか本人がすみたいといってるんだから……
そう簡単にはいかないんですよ!
……………
ふたりともちょっとまってよ!
この人も出国して日本にきたのはかなりの覚悟があったと思うわ
だから少し考える時間をあたえてあげてほしいの

2日間だけ まって あげて…ね おねがい
そのあいだに きめられるわよ… きっと!
…………
われわれの立場から いうと ただちに報告する義務が あるのだが…
さいわいにして まだ だれも このことに 気づいて おらんようだ 2日間だけ 猶予を あたえよう
ただし 拳銃などの武器は こちらが あずかる ここから 外へ でることも 禁ずる そして 食事以外は すべて監視を つける……
麗子くんに 少佐の 監視を たのむことに する
は…はい

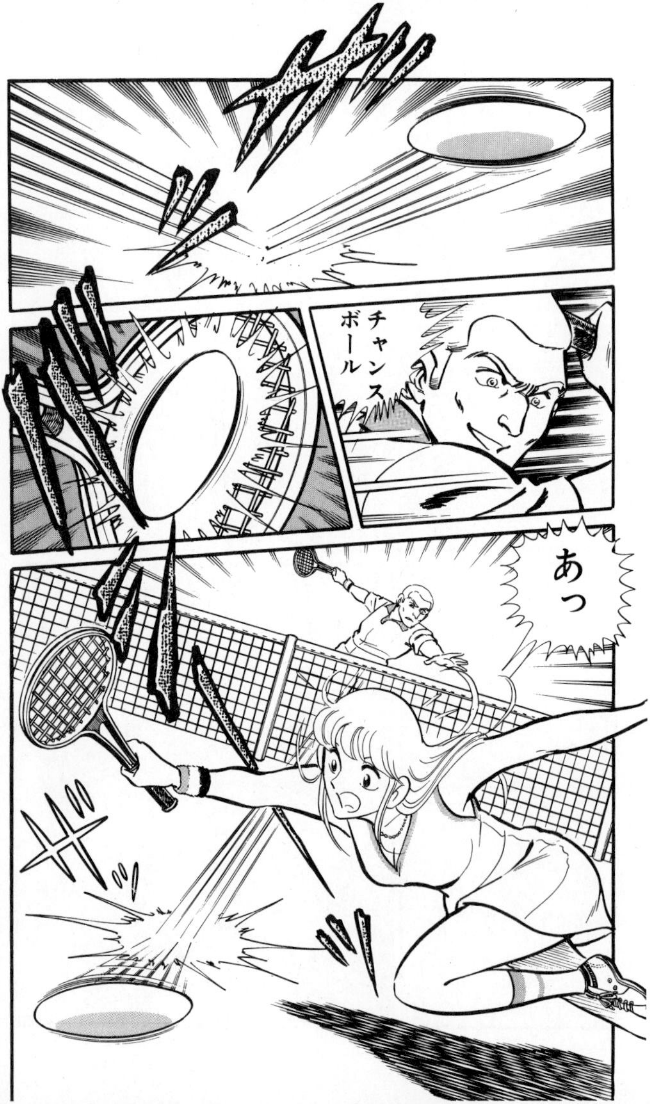
チャンスボール
あっ

デュースか… ミス・レイコ なかなか やりますね
ふう おっていく だけで 精いっぱいだわ
私は 9歳の時から テニスを ならって いるのに… ずいぶん じょうずね
ははは
あなたも お国で テニスを やって いたのね
………

ごめんなさい気になることをいったかしら
いいえだいじょうぶです
…………
相手は密入国者ですよそれも戦闘機できた軍人！わかるでしょ
それがどうした外国人だっていいだろ
日本にすみたいっていうんだからすませてやりゃいいだろうが

話してみるとなかなかいいやつだぞなんならオレの寮にすまわせてやってもいい
だからそう簡単にいかないいんですよ
もう ノドがかわいたおい! 酒もってこいよいっぱいな
はい
青山《あおやま》あたりにいきゃ 外人がいっぱい いるひとりくらいわかりゃしないって
軍事的問題どころか国際的な政治問題ですよこれは!
だからみつかったらオレが責任もつっていったろ
先輩ひとりじゃ 責任もてませんよ! 絶対!!
わしも 日本語の先生としての立場が あるだろウンといってしまった以上あとにはひけんよ
顔がたたんからな!
ズシッ
お酒おまちどうさま
お…おまえアホか! 牛じゃあるまいしこんなにのめるか!

お子さんの写真?
ごめんなさい…どこにいったのかと思って…?
私こそこっそりぬけだしてこんなところへきてすみませんレイコさん
コズロフさん……

どんな理由か しらないけれど 日本へ きたこと 後悔してるん じゃない…？
日本は あなたが 思っているほど 自由なところ じゃないわ
私も ずっと いてほしいけど いつまでも ここに かくまって いられないわ わかって！
ミス・ レイコ…
あなたの 気持ちは 大変うれしい ありがとう…
私 祖国へ もどります

OK《オーケー》チェック完了!
機が 日本領空を離脱する時 レーダーに発見されぬよう手は うってあるから 心配はない……
ありがとう
日本語の先生 どうもありがとう
いや…なに ははは また ヒマだったら こいよな

いちどは亡命した身だ ぶじに祖国がうけいれてくれればいいがな…
コズロフ少佐 拳銃をかしてください
また いつかテニスをやりましょうね………
スタッ

ふたたびあえる日がくると信じています

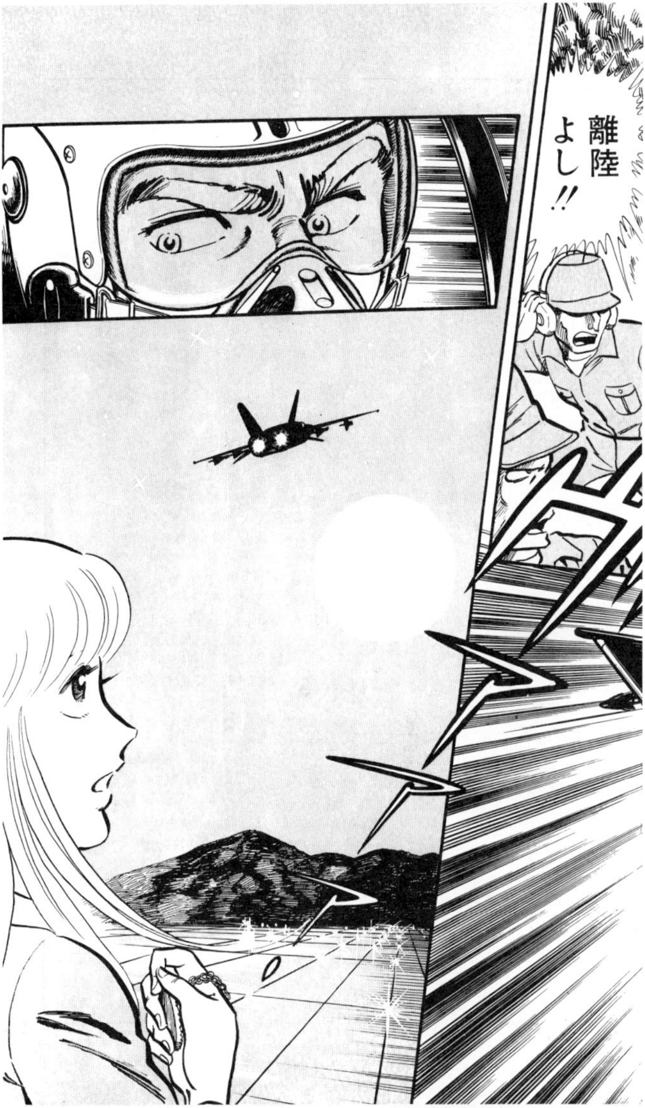
離陸よし!!

NHBニュース
昨夜未明広範囲にわたり電波妨害があったもようで一部は完全にマヒするなど被害が多く…
政府ではUFO《ユーフォー》のしわざかとアメリカのNASAに問いあわせ中…
うおっす
おはようございます
ふああゆうべはあまりねてないからねむいよ
やっこさんぶじにかえれたのかな…
かえってから大変ですね

★週刊少年ジャンプ1980年22号及び23号

ガキ大将！勘吉の巻

昭《しょう》和《わ》30年代 浅草
ライオン わた
クリコ ワンタッチ カレー 60円
すげえなあ かっこいい
ピカピカだぞ
たばこ

すごいだろ うちの 兄ちゃんの 単車だぞ
イカすな!
おい! きたない手で さわるな!
ちぇっ ケチ
勝男《かつお》 ちょっと タバコ 買ってきて くれ
はーい
いいか おまえら よごすなよ
まったく イヤミな やつだな
動くとこ みたいな 走らせて くれない かな…
ゼブラキッド VS 力道山
力道山 脳天逆落し
死の血祭り!!
おれが 走らせて やるよ!
勘吉 おまえ 運転 できるのか
カラン
カラーン

こんなもん簡単だよ自転車みてえなもんだ！
やったエンジンかかった
バウウウン
勘吉にいちゃんだまってのったらおこられるよ
うるせえないいか！いいつけたらぶっとばすぞ
ドドド
おいおまえらものれよ走らすぞ
よし
うわっ走った走った！
すごいイカしてる！
いえいマッハ族だ!!
ババババ
キイイイン
あっこら！
勝男かりるぞ！
バウー
バウウッ

おい 勘吉 あまり 遠くに 行くなよ おこられるぞ
ドドドド
とめ方が よく わからねえな
なんだって!
前は 隅田川《すみだがわ》だぞ!
ドドド
うわっ
おまえ 早く とびおりろ!
もう おそい うわっ!
ぎやっ

視庁吉原警察署
YOSHIWARA POLICE STATION
少年課
いつもおさわがせしましてすいやせん
このバカ！いつもひきとりにくるこっちの身もかんげえろ！
ゴキ
いてえ！
このめえは鉄塔にのぼってこのあたりを停電させちまうしこんどは単車で隅田川につっこむしまったく！
すきでやってるわけじゃないよ！
おきゅうだけはカンベンしてくれよ！背中がおきゅうのあとだらけだからな！
川でおよいでると目だってみっともねえんだたのむからもうやめてくれよ父ちゃん！オーマイパパ！
おまえにゃおきゅうはもはやきかねえ！
うちの家だけじゃ手におえんほかにたのむことにする

大門中学校
えーっ 勘吉 寺の小僧になったのか?
本当かよ
寺にあずけられちまったんだよ! 朝5時おきだからな たまんないよ
あたらしい先公がきたぞ
しずかにしろ!

オホン
ガラッ
おっと
スタッ
黒板消しかこの手は戦前からあった古いやり方だね
九月十四日晴れ
むっやるなあの若い先公
なーにまだこれからよ!
白墨にニスをぬってかけなくするのも古典的だ
私が学生のころやった手口だ
ガラッ
きゃあヘビ!
きゃあきゃあ

自己紹介しよう
私は九州《きゅうしゅう》生まれで
ヘビは大好きだ
ありがたくもらっておくよ
勘吉 あいつにゃ負けるな
最後のアレにはびっくりするぜ!
先生さま
む なんだね
そうじ箱の中にグリコのおまけがはいってます
ははは それもいただくとしようか!
バタ
うわっ トラだ!
きゃあ!
やった!!

ばかもーん!!
学校にトラをつれこむやつがあるか! いたずらにもほどがあるっ
サーカス団も盗まれたと大さわぎしていたんだぞ!
先生 オレ…これから寺にいかないとだめなんだ
なに!
寺のそうじやふろたきしないと和尚におこられるから!
うーむ しようがないやつだ
ふう やっとにげられる!
大門中
学校からでちまえばこっちのもんだ ざまあみろ

これ 勘吉 そんなところで なにをやっておる
大門中学校
あっ 和尚さん
早く寺にいって そうじをしなさい
リス印 マーガリン
おなじ町内じゃ にげようがないよ
ぼーくの恋人 東京へ いっちっち♪
あっ こら! 墓の中で あそぶんじゃない!
だってこの中 トンボがいっぱい いるんだもん
トンボつりか…

ゴミだらけじゃないかこんなトリモチじゃひっつかないぞだめだ
おまえのアミも魚アミだこんなボロボロじゃにげるぞ
だって買ってくれないいんだもん
よし！なおしてやるたしかゴミの中にストッキングがあったぞ
ブチ
使いものにならないアミはやぶっちまえ
ギュッ
アミのかわりにストッキングを つける
長いほうが使いやすいからなこれでバッチリよ
よーし みてろトンボはすばしっこいからな前方をすくうんだ
えいっ！
わっやった

わあ
2匹も
いっぺんに
すごいね
おにいちゃん
あたぼうよ
一日最高
158匹の記録が
あるからな
セミは
最高
203匹
バッタは
120匹
イモ虫58匹
スズメ10羽
ネコ3匹
町内じゃ
名人勘吉
と呼ばれて
いる
オホン！
赤トンボの
集団だ
まかせろ
ビュッ
秘技
川上《かわかみ》
バット
とり！
ダッ
グラ
あっ
あ
いた！
いけねーっ！

うちではもう 手におえませんでなあ……両津さん
どうも申しわけありやせん!
よろず屋
よろず屋
まったくこの子は……
お寺にあずけて安心してたのに一週間もしないでもどってくるんだからね
少しは金次郎《きんじろう》をみならったらどうだ!
おなじ兄弟でもこうもちがうもんかね
おまえがなまじ勉強できるから目だつんだぞこのバカ!
いたい
ドン
にいちゃんはいつも暴力でくるんだ勉強で勝負したらどう?
なんだと!

ようし頭で勝負してやるよ！どうだーっこの豆腐頭め！
ぎゃあ あっ！
ガンガンガン
こら よさねえか 勘吉
おめえの石頭で金次郎がパーになったらどうする
パカッ
てっ！
弟をいじめるやつあ晩メシぬきだからね！
ひどい！
せめてコロッケだけおくれよ母ちゃん！
だめだよ！
心いれかえていい子になるよ！悪さ 絶対しないよ！
また勘吉はたたされてるのか……こんどはなにをやったんだ
三年三組
たいしたことしてないよ女の子の背中にネズミをいれただけ…
私は悪い子

カラーン
カラーン
ふう やっと おわった
ガラッ
さっき体育館のガラスをわったのは勘吉か!?
ずっとたたされてたのに そんな器用なこと できるはずないよ
すずらん洋裁店
まったく授業でてるよりたってる時間のほうが多いんだぞ 学力よりも体力ばかりついちゃうよ
学校じゅうで勘吉をしらないやつはいないよ はははは
すてきな洋服を作ります
つかれた… うしろにのせてくれ
ひょい
ふたりのりはだめだよ
こりゃらくだ! いけっ いけーっ
あぶないぞ!
わっ お巡りさんにぶつかる

うわっ
わっ
原警察署
POLICE STATION
少年課
ついでといってはなんですがな この署で 少しあいつをきたえてやってくださいよ 課長さん!
署にあずけるのかね?
これでうちの署にくるのは15回目だね両津さん
まったくなんともはや……

ケンカばかりやって 体力はありますから それを柔道や剣道で正しいほうへむかうようにですね…
うむ それもそうだね
よろしい警察にかよわせなさい
ペコ
よろしくお願いします！
結局そのまま警官になっちまったな…
あんときバイクでとんだアトがまだ のこっていたか……
かわらねえな… この町も隅田の流れも

★週刊少年ジャンプ1980年28号

親をよべ！の巻

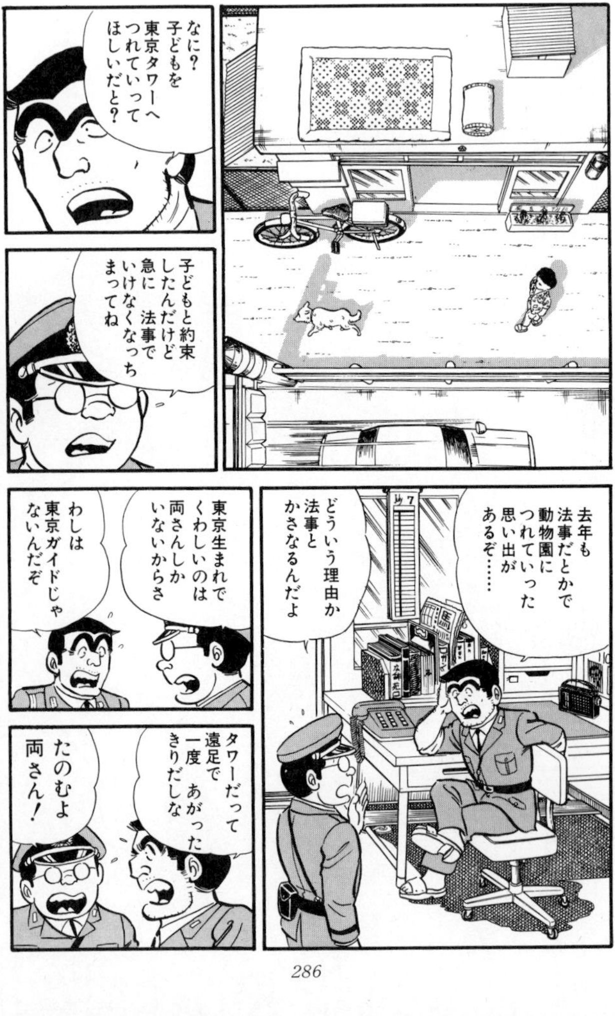
なに?
子どもを東京タワーへつれていってほしいだと?
子どもと約束したんだけど急に法事でいけなくなっちまってね
去年も法事だとかで動物園につれていった思い出があるぞ……
どういう理由か法事とかさなるんだよ
東京生まれでくわしいのは両さんしかいないからさ
わしは東京ガイドじゃないんだぞ
タワーだって遠足で一度あがったきりだしな
たのむよ両さん!

中で　遊んでいて
バスに
おいていかれた
いやなイメージが
あるからな
あまり
いきたくない
持出禁止
たのむよ
弁当を
3人前つける
からさ!
いやだ!
こんどは
メシに
つられんぞ
そういえば
今　タワーで
〝日本の酒
きき酒展〟を
やってるわよ
ピク
酒……
ガタッ
もちろんよ
日本中の
あらゆる
お酒がね…
寺井!
明日
タワーへ
いく!
キッ
えっ
明日は
土ようだよ
私も
子どものために
仕事を休んで
いく覚悟だ!
弁当3人前わすれ
ぬようにな
突然
きめるんだ
だからな!
まったく
日ようで
いいんだよ
子どもたちも
学校へ
いってるし
休ませろ!
東京見物
するほうが
勉強になる!

うわっ東京タワーだ!
すっごくでっかいなあ!
SUMM

おい こら! 先に いくんじゃ ない! まて こらっ
早く いこう!

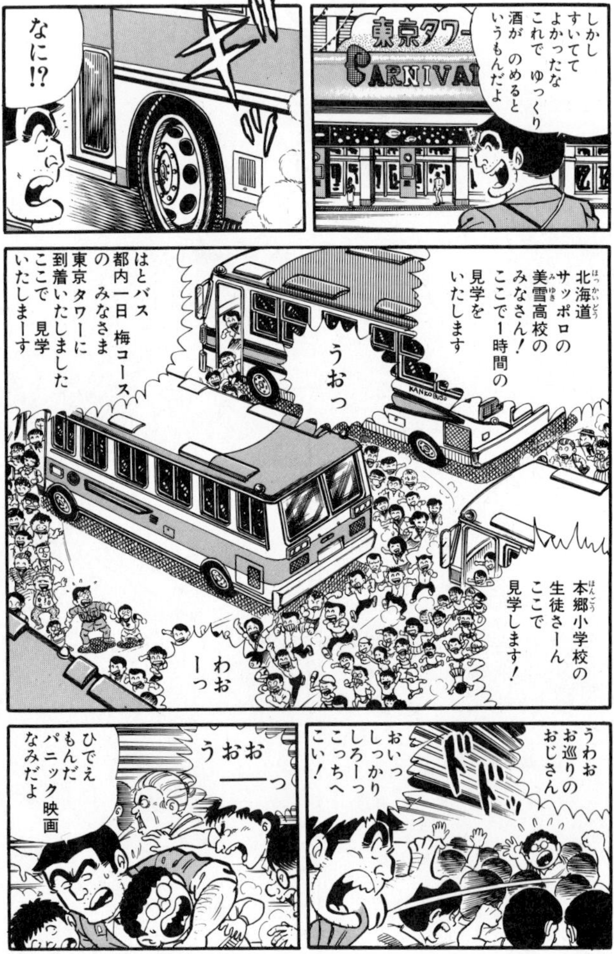
しかし すいてて よかったな これで ゆっくり 酒が のめると いうもんだよ
東京タワー
なに!?
北海道《ほっかいどう》 サッポロの 美雪《みゆき》高校の みなさん! ここで1時間の 見学を いたします
はとバス 都内一日 梅コース の みなさま 東京タワーに 到着いたしました ここで 見学 いたしまーす
うおっ
本郷《ほんごう》小学校の 生徒さーん ここで 見学します!
わおーっ
うわお お巡りの おじさん
おいっ しっかり しろーっ こっちへ こい!
ドドドッ
うおお——っ
ひでえ もんだ パニック映画 なみだよ

早く上にのぼろうよねえ！
展望券売場
わかったわかった今券を買ってくる
ふう券買うのに20分もかかったよ
さあエレベーターの前にならぶぞ！
ぎょっ
大展望台行エレベーター
NO.2
じょうだんじゃない！こんな状態でまっていたら夕方になっちまうぞ！
ねえのぼろうよ上に！
のんびり番をまってるほどわしは気が長くないちょっとこい！
ねえのぼらないのォ!?

別にエレベーターをつかわなくても上へはいける!
えっどうやって……?
このビルの屋上に展望台にのぼる階段がついているんだそこをのぼる!
えーっ階段でいくの!?つかれちゃうよォ
ぜいたくいうな!そのほうがタダだ
おっと!きき酒展なん階でやってるのかきかんといかん!
日本酒のきき酒展はなん階でやってるんだ?楽しみにきたんだよ
えっきき酒展……?
2階でやってましたよ去年……
そうか2階だなサンキュー
きょ…去年…

去年夏のフェスティバルとしてやってましたけど
ちくしょう麗子にだまされた
東京スカイサービ
おまえら早くこい帰るぞ!さあ
えーっ
酒がないならいてもしょうがない帰るぞ!そこらで適当にみやげでも買ってこい
だめだよまだ みてないんだからァ!
早くのぼろうよ階段でもいいからさ
もうのぼる元気もない
まったくどこへいっても人ばかりだな!
東京タワーは昭和33年に竣工《しゅんこう》され風速90m《メートル》にもたえイルミネーションの数は696灯
発信されている電波は TV《テレビ》用7波中継用が21波…
WEST
特別展望台入口
代々木
YOYOGI
お手洗

これ ほしいけど おこづかい あと500円しか ないわ
みやげ品 コーナー
洋子《ようこ》 あと5分で あつまらないと いけないわよ
ねえ おじさん お願い！ 500円に おまけして
だめだめ タワーも 高けりゃ みやげも高い
おい おい あまり つっけんどんな 商売すんな
昭和43年 当時の東
あっ お巡り！
遠くから 東京見物に きた学生だぞ まけてやれよ
そ… そんなこと いってても
だから 東京は つめたいとこだと いわれんだろう 情のあるところ みせてやれよ
は…はい 私も 江戸っ子 ですから！
500円で こんなに いっぱい ありがとう おじさん！
なんの！ また おとなに なったら 東京へ いらっしゃいね は・は・は
いいところ あるじゃ ねえか おい！
バン
あい たった！

わあーっ ケンカだ！
なんだと!?
おい こらっ やめんか おい！
やれ やれーっ
ちくしょう てめえ
いうこと きかねえと ブッとばすぞ このやろう
オー ジャパニーズ ポリス ベリー ストロング
ノーノー ジャパニーズ ヤクザ！
オー モリノ イシマッ！
うるせえ！ 秋葉原《あきはばら》で テレビでも 買って さっさと 帰れ！

どうもすいません生徒が多いもので……
しっかりしてくれよ わしは 生徒の取りしまりにきてるんじゃないんだぞ! 非番なんだぞ
もっともわしらの修学旅行の時なんざあんなもんじゃなかったからな……
京都《きょうと》の町であれくるった…我らの中学が最強だった
血の気の多いやつらがあつまったからな
ああハラへったよいしょっと
弁当でもくおう!
朝7時におこされたからな……
エネルギーを充電せんといかん……
オーヒノマルベントウサムライハラキリペラペラ
うるせえみせ物じゃねえぞあっちいけしっ しっ!
記念スタンプ
インタレスティングポリス

おじさん
タワーに
男の人が
のぼってる
よ!
なに!
久びさに
あらわれたか
タワー男が!
きみィ!
おりて
きなさーい
ちぇっ
タワーの足に
しがみついてる
だけじゃないか
まるで
セミだよ
うるさい
絶対
おりないぞ
いったい
どうしたんだ
あの男……
なんでも
親に車を
買ってもらえないので
抗議してるとの
ことです

信じがたい男だな！小学生じゃあるまいしなさけないやつだ！
近ごろあの手の大学生が多いんですよ
親をここにつれてこい警察！
そして赤のフィアットX1《エックスワン》／9《ナイン》を買わせろAM《オートマチック》車だぞ！
しばらくあのままにしとけよつかれればおりてくるよ
そんな！なんとかしてくださいよ！タワーのイメージダウンです
パチンコでうちおとすか！
スズメじゃないですよ
レスキュー隊が上からおりてきますその間説得しててくださいよ
よし！
説得の両さんといわれる男よまかせとけ！
そこの青年！フィアットは外車で高い！スズキアルトにしなさい！AT《オートマチック》車もあると
だめだ！あの車はダサイ女にもてん！
それならダイハツシャルマンにしなさい燃費もよい5人のれる！

国産なら シルビアの赤で コンピュータつき ZS《ゼットエス》—EX《イーエックス》が よい! もちろんAT《オートマチック》車
シルビアの AT《オートマチック》車は 出足が悪い はやいのなら RX《アールエックス》—7《セブン》がいい
あれは カエルみたいで いやだ! 下取り値が 安い! 燃費も悪い
それなら オートバイに しなさい 250CC《シーシー》なら 車検もない 安い!
ムチャクチャな説得だが 相手の気を ひいてるのは たしかだ!
あっ いつの 間に!
こらーっ つかまえに くると ここから とびおりる ぞ!
もう あのバカ みちゃ いられん
ぎゃあ
うわっ
あっ なにを する気 ですか?

あっ
のぼって
きた!
そこから
のぼって
くると
ここから
とびおりるぞ
そのほうが
のぼる手間が
はぶける
早く
おちろ!
ムチャクチャ
いうなあ
あの人……
本当の警官
なのかな……
いつも
あのおじさんと
くると
こうなるんだ
シルビアも
あきらめた!
スプリンター
GT《ジーテー》でいい
黒のAT《オートマチック》車!
うるせえ
車なんか
どうでもいい
おまえを
つかまえてやる

うぎゃあ
くるな!
ママに
いいつけるぞ
!
くるな!
くるな!
絶対
つかまえて
やる!
やめてくれ!
スターレットで
がまんするよ
GT《ジーテー》の黄色
AM《オートマチック》車!
おまえ
なんか
自転車にも
のせて
やらん!
うわっ
ズル
うぎゃあ
——っ
うわあ
——っ
おち
たぞ!

ぎゃあああっ
あの人がつかまえてるぞ!
すごい力だ!
こわいよおろしてくれーっ!!
あまい!
せっかくのぼったんだてっぺんまでつれてってやるよ!
ふぎゃあぼくが悪かったよォ
あっまた のぼりはじめたぞ
大変だレスキュー隊早くたすけろ!
わお
ギャ
ぎゃ
あーあぼくしらないよ
にいちゃん早く帰ろうよ

手をあげて横断歩道橋を渡りましょう
毎ッ田新聞
タワー男警察官説得す!
お手柄だが やりすぎという声も なきさけぶ青年を ひきつれて てっぺんで 説得!!
家庭栽培情報
また 先輩 新聞の三面を 大きく かざって しまったよ
タワーに いかせない ほうが よかったわね
大変な ことに なったぞ
しって ますよ すでに!
ちがう! ひとりの男を かかえて333m《メートル》 のぼったのは 世界で 初めてで マスコミが ギネスに のせろといいだして…
週刊明凡《みょうぼん》 ですが…… ぜひ 両津さんに インタビューを ……
毎夜《まいや》新聞 ですが ぜひ インタビュー を
世界中に 警視庁の ハジをさらす ことに なるんだぞ どうするんだ わしゃ しらんぞ
ぼくも しり ません

★週刊少年ジャンプ1980年30号

ノンストップ！
の巻

男 命を三すじの糸に……
オークス
各馬ゲートイン いよいよスタートです
HONDA CL-4500
よし いけよっ
クルクル
うわっ
ゴマサツキトップです つづいてタテハヤテ…
グイ

第4コーナーをすぎてゴマサツキ先頭です！
ゴクゴク
しかしいきなりカイキロクがおいあげてきました
カイキロクトップで今ゴールインしました
このところまけつづきじゃねえかまったく！
ちくしょう
ええいくそ！バカにしやがって！
Mr. Bike
ガシャン
きゃあ
うわっ

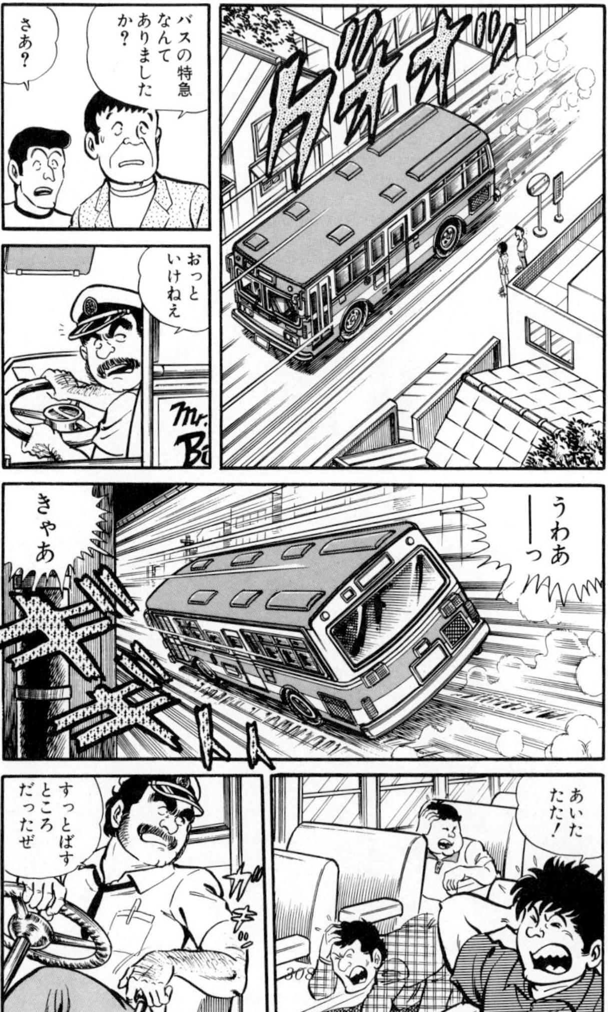
バスの特急なんてありましたか？
さあ？
おっといけねえ
うわあ――っ
きゃあ
あいたた！
すっとばすところだったぜ

うわっ
バスが一方通行をバックしてきた！
あらよっ
ヒョイ
ひゃ――っ

あの大型バスをかるがるともちあげるなんて
うわーっびっくりした
一瞬宙にういたぞ
ギギィ
時間がねえんだはやいとこのれよ
↑料金
あの…おつりください

機械 こわれちまったんだよ つりはでねえよ
そ そんな!
つりぐらいチップにしろよな!
は はい よろこんで……
ほんじゃ出発! レッツGO《ゴー》ー!
うわっ
毎度 ご乗車ありがとうござんす 急ブレーキ 急発進 急ハンドルをしますので シートベルトをがっちりおしめください
えらいバスにのったもんだよ
ブロロロ…
ん!

もっと
ハジを
走れ！
じゃまだ
ブロロロ
喫茶室
フラゴナール
うるせえ
やろうだ
さっさと
おいぬけ
グイ
まったく
バスって
じゃまねえ
バカ
でかい
ばかりだ
ガッ
あのやろう
オレの
愛車に
キズつけや
がったな
おい！
ちょっと
まてーっ!!
うわっ

ぎゃあ——っ!!
ちょっとどうしたのよ
動かねえんだよ!

ガギャ
人の車に空カンぶっつけるたあマナーがよくねえなこのやろう
ご…ごめんなさい
立食そ
うるせえな外でガタガタと……
なに!
そば
おにぎ
なんだとでてこい!
まったく
ばうどんおにぎり
人がメシをたべてる時にギャアギャアさわぐな!
あっ!
立食
そば

なんでえ両さんじゃねえか!元気かよ
元気だからこうしてソバをくってるんだろ!
あいかわらず乱暴運転してんだろ!今に取りけしになるぞ
ズズー
そんときゃ別な仕事をさがすよ
ちょうどいい署までおくっていってやるよバスで
私用でつかっていいのかよ
マイカーがわりによ!馬券かいにいく時もこのバスをつかうからな!
客はいい迷惑だな……
ヴオオッ
ずいぶんせまい道はいっていくんだな
こっちが近道だ
その時の気分によってコースをきめるからな!はっはは

ようするに時間どおりバスストップにつきゃいいんだろ
ギュ
ギュ
天ど
よく会社でおまえをクビにしないいな
ははは運転がうまいからな…おれ
ちょいと寄り道するぜ
グイッ
キキッ
なんだバス停じゃないぞ!?
軽油満タンにたのむぜにいちゃん
ガソリン
139

おい 終点につかないあいだに全員おりちまったぞ
どうりで軽いと思ったよ
カーステレオで春日《かすが》八郎《はちろう》でもきくか？
いいね最高
おいタクシー
ブロロロ
うわっ
これで3台目だ…
まったく最近のタクシーは……
よかったらのるか？
バタッ

たすかったよ
堀切《ほりきり》までいってくれるかね?
あいよ きようは特別だ
あっ 事故だっ!
うわあ いたいよ——っ
やばい にげろ!

ギャアアアッ
にげたぞ
あの車!
大変だ
すぐ
警察に
電話を!
ちょいと
まった
パトカー
よりも
早いもんが
あるぜ
救急車に
すれちがった
これで
ケガ人の心配は
ないな…
相手は
めだつ
外車だ
すぐ
おいつく

堀切は どう なるんだ
今は それ どころじゃ ない！
いたぞ あの車だ！
バスが えらい スピードで おいあげて くるぞ！
イタリアが ほこる スポーツカーだ バスなんかに まけるはず ないだろ！
このバスは 中古だが 高速観光バスを 路線用に 改造した モノだ
14000CC《シーシー》 320馬力の 力を みせてやる!!

ひゃあ——っ
ふみつぶす気かじょうだんじゃないぜ!
ふりきってやったぜ! こっちのほうがこまわりきくからな
む!?

このやろう ちょろちょろ にげまわり やがって!
たすけて くれ……
さすが スーパー バス ドライバー
うおっす!
いつに なったら 堀切に つけるんだ ろう?

★週刊少年ジャンプ1980年27号

第一交通機動隊には、約130台の白バイがあり、約200名の隊員が6部制で勤務についてる。隊員の資格は最低2年の勤務経験がいる。180名の候補が検査によって20～30名にしぼられ、その後40日間の訓練をうけ、技能検定(青免)にうかった少数の者が路上にでる。まさに選ばれた隊員たちである。普通、指導資格をもつベテラン隊員とペアで出動する…。
HONDA
750 Four K

白バイ鬼の十訓！の巻

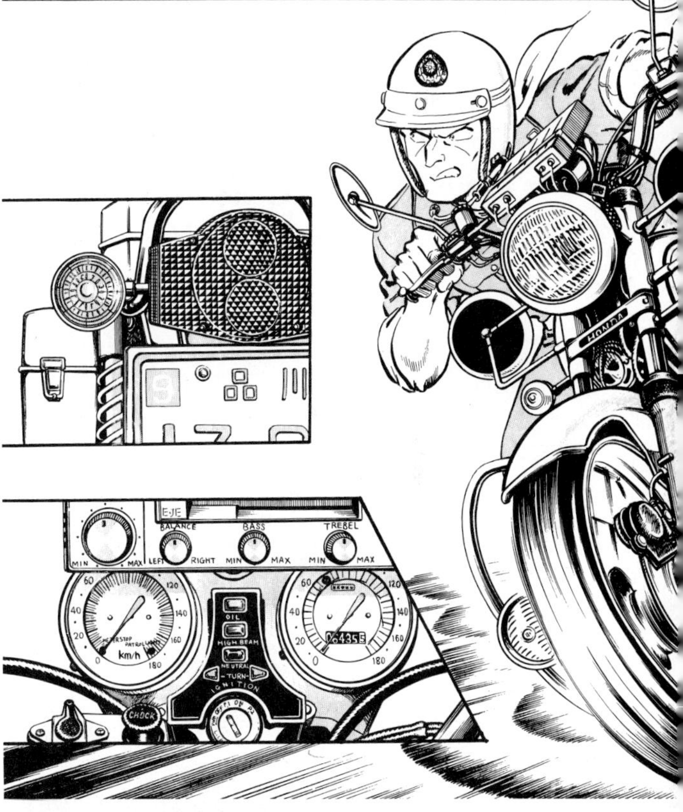
BALANCE
BASS
TREBEL
MIN
MAX
LEFT
RIGHT
OIL
HIGH BEAM
NEUTRAL
TURN
IGNITION
CHOCK
km/h
HONDA

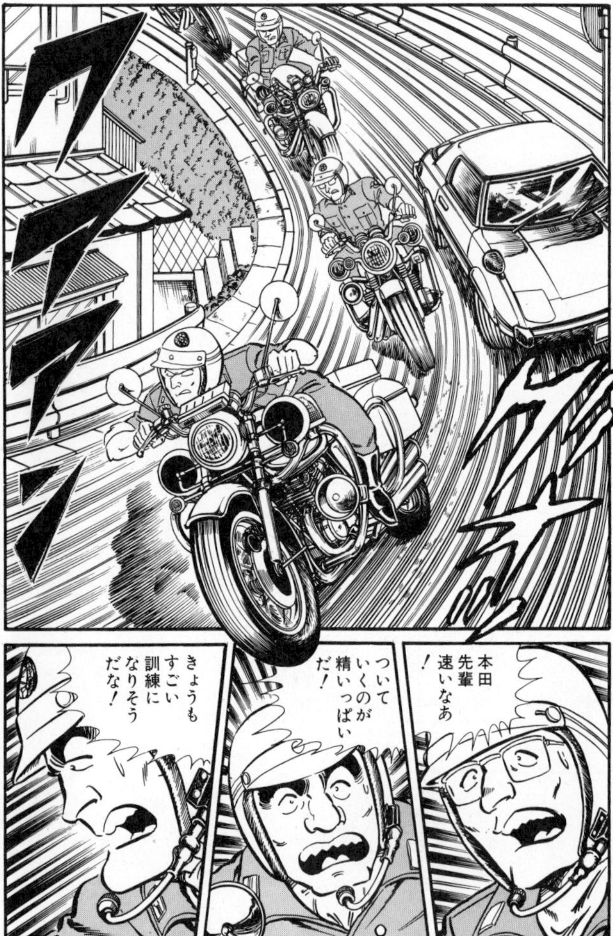
本田先輩速いなあ!
ついていくのが精いっぱいだ!
きょうもすごい訓練になりそうだな!

山派《やまは》車を停車させる方法をしってるか!?
はっはい!
まず車の右側により左手で停止の合図をしてそれから…
ちがう!
ドアを足でけとばして運転者にしらせる!
はっ!?
ドドド
前方の違反車で実施してみろ!
はい
キュキュッ
ファーン
ファーン
ファーン
みろすぐつかまるぞ!
まかせておけ!
カチャ

うわっ
あっ
ひどい！
やられ
やがった
一般公道は
白バイ隊員の
戦場だと
いったろう
が！

河先《かわさき》！山派のバイクをどけろ！鈴木《すずき》！おれについてこい！
おい だいじょうぶか！
はい
あのやろう 絶対 とっつかまえて やる！
馬力が ちがうぜ へへ
あっ 前を！
HONDA

自転車でお巡りがこっちへつっこんでくるぞ！
あんなもんはじきとばしちまえ
ん!? どうした
こ…こわい あのポリ公一心にこっちへむかってくる
な なにかあるんだ なにか…
なにもないただの自転車だしっかりしろ！
い いや！しかけがある こ…これはワナだ あのポリ公考えがあるんだ
ぎゃあ ぶつかる うわーっ

おいっ こら! ここは一方通行だ
ぎゃあ 口をきいた!
キ
ッ
ようダンナ 協力ありがとさんよ
バウウッ
なにが?
自転車で車の前に立ちふさがるとはよォ よほど度胸がいいぜ
べつに! 車のほうがよけると思った
やはりこわい あの常識はずれの考え方がおそろしい 悪魔だ!
どうやらダンナのカンロク勝ちだよ
ちえっ ほめているのかよ そりゃ…
山派ぶじやってきました
ブウウ…
よし!

さっきのザマァなんだ！白バイが公道で転倒するなど死ぬよりはずかしいことだ
まさかいきなりドアをあけるとは思わなかったので……
道路へ出れば戦争だ！まさかなんてあるか！
いたっ
おまけにおまえの相棒にキズつけて！
すみません！
おれにあやまってどうすんだ相棒にあやまれ！
カン
あいた！
CB《シービー》400F《エフ》さま キズつけて おゆるしください！CB《シービー》400F《エフ》さまキズつけておゆるしください
ペコ
ペコ
まだまだあと30回！
ずいぶん後輩にはきびしいんだなおまえ…
あたりめえだよ！バイクと一心同体にならなきゃつとまんねえ仕事なんだからな!!
ちょっとひといきいれろよお茶でもどうだ？
そうだなまあちょっとだけなら

パッ
ふにょ
ねえ みなさーん あんみつでも たべにいこっ 休まないと 体に毒よォ
止まれ
極端すぎるからな 部下のほうも つらいだろうな
あんみつ
みつまめ
とにかく今は 車が多すぎるんだよね 一日中 渋滞が つづいちゃあ ドライバーも ストレスが たまるもんね
いくら とりしまっても キリが ないよ

そんなこと わしに いっても しるかよ 自動車協会の おえらいさんに いえよ
それも そうだ けど…
ここの アンミツ おいしいでしょ アンコに 秘密が あるのよォ
そ… そうです ね…… は…はは
最高ス！
あっ いけない そろそろ いかないと
わしも 訓練に 参加させて くれ！
まいど ありがとう ございました
自転車じゃ ムリよ…
ヒモで つないで おけば だいじょうぶだ
どうしても ついてくる 気なんだ からな…
キュル
ヴオオ…!!

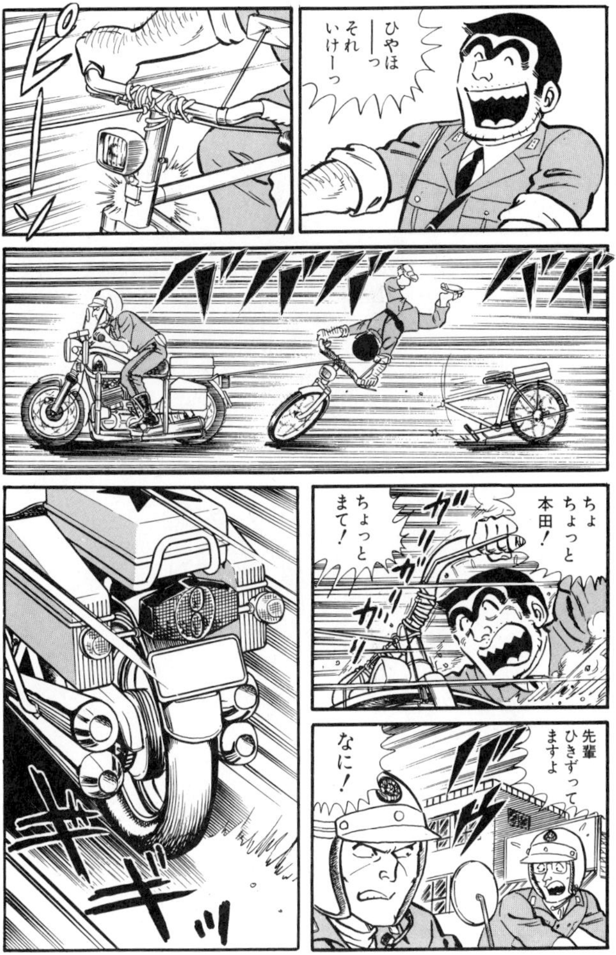
ひやほ
──っ
それ
いけーっ
ピーッ
バババババ
バババ
ちょ
ちょっと
本田！
ちょっと
まて！
ガリガリガリ
ギギーッ
先輩
ひきずって
ますよ
なに！

いくらハラがじょうぶでもひきずっちゃたえきれんぜ
ばか急発進するな！ゆっくりはしれ！
古い自転車なんだからな大事にあつかえよ
こんどはもっとゆっくりはしれよ
OK《オーケー》
ひゃっほお
いやあこれならくちんらくちん
本部からの連絡です！
よし現場にいそげ！

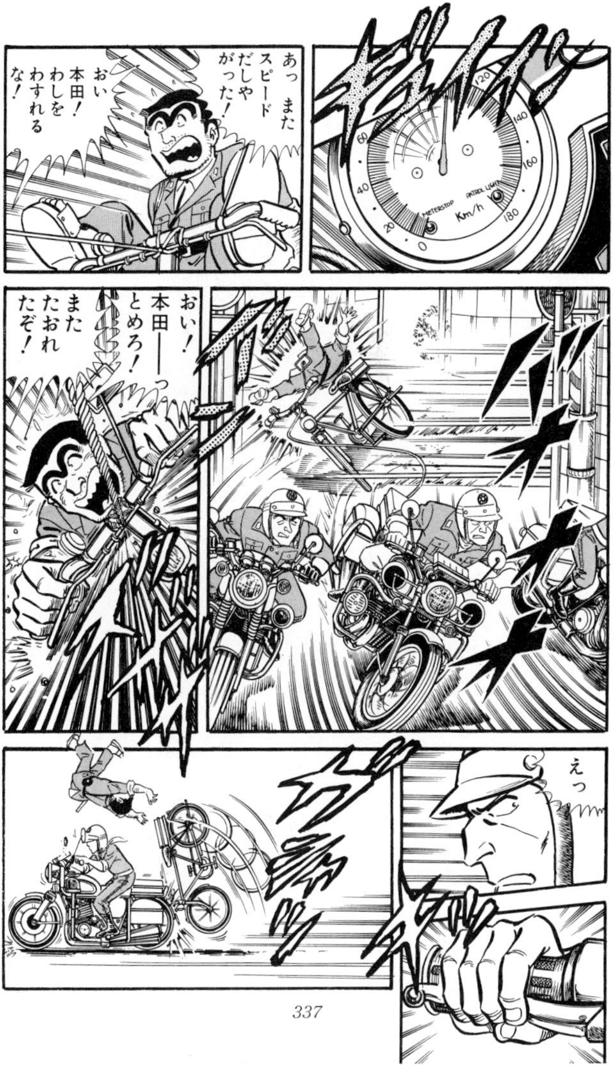
METERSTOP
PATROL LIGHT
Km/h
あっ　また　スピード　だしやがった！
おい　本田！　わしを　わすれるな！
おい！　本田ーーっ　とめろ！
また　たおれたぞ！
えっ

ガシャーン
さかえ
ばか もう少し ていねいに あつかえよ あいたたた…
こんどは サイドに しっかり ネジどめする これなら たおれん!
まだ やる気だ 根性 あるな!
いったい なんの 事件だ
ひきにげ だ! にげまわって いやがるんだ
ガオオム

こりゃ正解だ
これならだいじょうぶだ！
あっ
あいつだ必死でにげてやがる！
山派！河先！先まわりしろ！
はい

くそ白バイがおってきやがる
うわ前からも!!
いいぞ車の少ないところにおいこめ
チン
チン

どうだ もう おえまい!
そこが あまい!
ダンナ よく つかまってて くれ!
よしっ やれ!
ひさびさの 290キロ プラス 自転車の ボディースラムだ
ひゃあーっ

こちら葛飾区亀有公園前派出所㉑(完)

★週刊少年ジャンプ1980年31号

解説エッセイ「両さんが総理大臣になったら!?」

太田　光（爆笑問題・コメディアン）

『こち亀』との出会いは覚えてないんですよ。『こち亀』に関しては、もともと知ってた知識みたいな感じですね。『サザエさん』とかと同じで「いつから」というワケではなく、「当然知ってる」みたいな感じです。

僕らの漫才は、最近の社会の風潮をよく取り入れたりするんですけど、『こち亀』はそういう感覚に近いように思いますね。流行にアンテナをはって、いろいろ取材して資料を集めて初めてできるような…。ネタの作り方とかは近い作業をしてるんじゃないかな。でも、ライバル心みたいなのはないですね。元々、『こち亀』が最初から、僕らが子供の頃からあったものですから、そういう感覚はないです。もう『こち亀』が生活の中にあったって感じですから。

僕らも最初は時事問題というより、広い意味での風潮…例えば学校でイジメが行われてるとかいうのをテーマにしてコントを作ってたんですよ。コントというのは、「先生と生徒」とか、キャラクターと設定を決めて作るんです。それで最初、10本ぐらい作って順番にやってたんですけど、だんだん新作が作れなくなってくんですね。そういった設定が、ある程度ひと回りしちゃうと作れなくなってしまう。そこから僕らは普通のしゃべりの中で、その月にあった事件とかを茶化していくという風な漫才に変えました。そうすると毎月いろんな事件が起こるから、ずっと簡単に作れるんですよ。こっちは毎月、それに食い付いて茶化せばいい。こっちから作らなくてもいいみたいな感じじゃないですか。

『こち亀』も同じですよね。キャラクターが決まってて、何を扱うかって題材をその中に当てていくっていう…それがやっぱり、僕らもそうなんですけど、長持ちする。行き詰まらないでやっていけるっていう。『こち亀』があれだけ長く続くのも、そこなんじゃないかなって思います。じゃないと、あれだけ長く続けられないですよね。

逆に自分たちと違うなあというのは…そうですねえ。人がいいですね、両さんは(笑)。少し人情っぽいというか…でも、それがちょうどいいバランスなんじゃないですかね。情だけにも行かないというか、変に「いい話」だけに行かないですしね。それが絶妙なバランスだと思いますね。人間らしいんだと思いますよ、スゴい自分勝手だし(笑)。僕らの場合は反感買ったりもする時があるんですが、両さんの場合は人柄で「あの人だったら」って許されちゃうというか…僕らの場合は「人情」はあんまりないですから(笑)。
両さんみたいな人が政治家になったら？　そうだなあ…スゴい支持されるか、まったく支持されないか…ちょっと、わからないですねえ(笑)。僕は支持が高そうな気もするんだけど…でも任してはおけないと(笑)。総理大臣とかになったら…そういうのも面白いですけどね。サミットでなんかメチャクチャな事言ったりとか(笑)。設定として、スゴく面白いですよね。だから、お巡りさんじゃなくても、あの人のキャラクターでいろんな設定で活躍させるのもいいかもしれない。
両さんが大臣になったら、小渕さんと比べてネタは作りにくいかもしれない(笑)。やっぱりその…わりとツッコミやすい人の方がネタは作れるんですよね。こっちのツッコミより深い事をやられちゃうと、実はネタにはしづらい。両さんの場合は「何のつもりでこれをやってるんだ」ってところがありますから(笑)。
漫才のネタにしやすいのは、一般的なお客さんがパッとイメージが抱ける人ですね。共通の認識があって、その辺の事を言うとお客さんが「あ、そうそう」ってなる人がネタにしやすい。そういう意味では前総理大臣の橋本さんなんか、ちょっと気取ってるじゃないですか(笑)。その辺はツッコミやすかったですね。僕は橋本さんはあまり好きじゃないタイプというか、もし小学校の時、同じクラスだったら絶対に仲が悪かったタイプなので…「カッコつけてんなよ」って言いたくなる雰囲気を醸し出してますよね（笑）。橋本さんはそのうちに支持率が下がっちゃいましたけど。最初は「あの人はすごくできる人だ」ってイメージがあったじゃないですか。そういうのはちょっと好きじゃないんですよね。「できない」っていうようなところを見せない優等生みたいな人はねえ。

両さんの場合は優等生じゃなくて、かかわりたくないっていうか…下手にツッコむと逆になんか、ヒドい目にあいそうな…（笑）。

例えば、『ドラえもん』や『サザエさん』を漫才なんかのネタの素材にするのは、みんなやってる事だと思うんですけど、結構いじりやすいんですよね。ただ、『こち亀』の場合は似たようなポイントでネタを作ってますから、素材として取り上げるには複雑すぎるかもしれないです。『サザエさん』はある程度、パターンですけど、『こち亀』は、マンガがあれだけ長い間やってて、それでも両さんのキャラクターっていうのが、とらえどころがない、「こういうキャラクター」って説明しきれない、「何をしだすかわからない」ってそういうのがあると思うんですけど。たとえば「デューク東郷」とかですと、あるじゃないですか、パターンみたいなのが（笑）。それにはまらないって感じですね。すごく頭がいいって時もあるし、「バカだな」って時もあるし(笑)、強くて頼りになる時も弱い時もあるじゃないですか。一つの型にはまらないで、いろんな人間像が入ってるって感じで。それでも一つのキャラクターとして認識されてますし…顔がいいんでしょうね(笑)。

今、有名人で、「この人にやらせたら両さんってはまるんじゃないかな」って人はいるかなあ…。マンガだとああいう三枚目ですが、実際にいたら、実はかなりカッコいい人なんじゃないかって感じはしますね。渋い人というか…(笑)。誰だろうなあ。なかなか難しいですけど(笑)。

僕はマンガの原作とかはできないでしょうね。今、二か月に一本ネタを作ってるんですが、それだけでヒーヒー言ってるのに、週刊誌で連載とかはとてもできないです。ライブとかがあると、何組かがやって、僕らが最後ってパターンが多いんですけど、前の組が舞台をやってる時に、僕らはまだ楽屋でネタを作ってたりしてる時がありますからね(笑)。それで結局未完成のまま出てく事がありますから。アドリブでもどうにもならないで、間に合ってない、みたいな(笑)。お客さんも気づいてますし、未完成のまま見せちゃうっていう…僕らは二か月に一回でそんな状態ですから、週イチでそういう事をやるのは全然できないですね。

秋本先生にはお会いした事がないんですが、やはり両さんみたいな方なんですか？ 違うんですか。ああ、なんか、ごっつい人って印象がありました(笑)。そうですよね。両さんが描いてるワケないんですけど、なんていうか、無意識の内にそういうイメージになってましたね。赤塚不二夫さんとかはバカボンパパに近かったりするじゃないですか(笑)。

僕らはコントや漫才を15年やってるんですけど、僕自身は一つの事を長く続けるというのは全然できないタイプなんですよ。僕はネタ作りというのは嫌いでしょうがないんですけれど、それを続けてやってるって事は、どこか心の底で、結局、漫才が好きなんだろうなって思うんですよ。でも、一つネタを作り終わったら「一か月休もう」とか、そんな風にしか考えられないですから。秋本先生みたいに一つ作り終えてから「じゃあ次を描こう！」みたいにはなれないんですよね。だから、同じようにネタを作ってる立場からすると、スゴいですね。尊敬してしまう。月並みですけど、ずっと続けて欲しいです。

(このエッセイは太田光さんへのインタビューをもとに書きおこしたものです。)

掲載作品は集英社より刊行されたジャンプ・コミックス『こちら葛飾区亀有公園前派出所』第18巻(1981年7月)第19巻(同11月)第20巻(1982年1月)の中から、著者自らが精選して収録したものです。

7月新刊　大好評発売中

夢《ゆめ》幻《まぼろし》の如《ごと》く 7 〈全8巻〉
本宮ひろ志

本能寺で死んだはずの織田《おだ》信長《のぶなが》。彼は奇跡の生還を遂げ、秀吉《ひでよし》の前に現れた！　天下統一の夢を超えた信長の新たなる野望とは…!?

とっても！ラッキーマン 7 8 〈全8巻〉
ガモウひろし

①②ラッキークッキーあとがきー　ガモウひろし

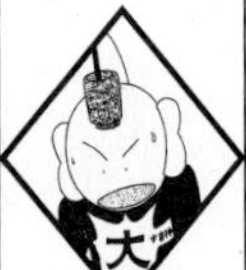

日本一ツイてない中学生・追《つい》手《て》内《ない》洋《よう》一《いち》が、幸運の星から来たラッキーマンと合体すればツイてるヒーローに大変身！宇宙の悪に挑む！

こち亀文庫 17
秋本治

各巻　巻末企画「当世流行《はやりもの》目録」「伊達男・看板娘評判記」

前人未到のコミックス160巻を突破した長人気作『こち亀』が再び文庫で登場！笑いと興奮、そしてなつかしネタ満載の101巻からを収録！

浅田弘幸作品集2　眠《ミン》兎《ト》 〈全2巻〉
浅田弘幸

あとがき　浅田弘幸

暗い過去を持つ二人の少年、空木《うつぎ》眠《ミン》兎《ト》と小泉《こいずみ》時雨《しぐれ》が、お互いを意識し、ぶつかり合う！　浅田弘幸が描くコミック叙情詩、待望の文庫化!!

BADだねヨシオくん！ 2 〈全3巻〉
浅田弘幸

新たなライバルあらわる！そしてヨシオの父の謎に迫るバトルGP《グランプリ》第2戦スタート!!　読切『しやわせ家族戦士プリチーバニー』も収録。

集英社文庫〈コミック版〉

ラブホリック 5〈全5巻〉
宮川匡代
③同時収録「love must go on」「in the showcase」
④同時収録「Somebody loves you」 ⑤同時収録「love must go on」

シゲルは食品メーカーで働くOL。口の悪い上司・朝比《あさひ》奈《な》課長には怒られてばかり。でも最近、男として意識し始め!? 新世紀オフィスラブ!

花になれっ! 9〈全9巻〉
宮城理子
①解説エッセイまんが⑨あとがきエッセイまんが　宮城理子

地味な女子高生・ももは、ひょんな事から超イケメンな蘭丸《らんまる》の家で住み込みメイドをする事に。その上、蘭丸の手でキレイに変身して!?

ラブ♥モンスター 1〈全7巻〉
宮城理子
①解説エッセイまんが　宮城理子

SM学園《セントモンスター》に入学したヒヨを待っていたのは、イケメン生徒会長・黒羽《くろう》をはじめ、個性豊かな妖怪たちで…!? 妖怪ラブ♥ファンタジー。

ごきげんな日々
谷川史子
谷川史子初恋読みきり選

誰もが経験したことのある初めての恋…。あの日に感じた、切なくて甘酸っぱい気持ちを鮮やかに描いた、珠玉の初恋読みきり選。

外はいい天気だよ
谷川史子
谷川史子片思い作品集
あとがき　谷川史子

付き合っていても距離を感じる恋人同士…、一方通行な想いに悩む彼女など…。様々な片思いのかたちを繊細に綴った、片思い作品集。

JASRAC 出9812834-801

集英社文庫（コミック版）

こちら葛飾区亀有公園前派出所《かつしかくかめありこうえんまえはしゅつじょ》 21

1998年12月16日　第1刷
2009年7月31日　第2刷

定価はカバーに表示してあります。

著　者　秋《あき》本《もと》　治《おさむ》

発行者　太田富雄

発行所　株式会社　集英社
東京都千代田区一ツ橋2－5－10
〒101-8050
03（3230）6251（編集部）
電話　03（3230）6393（販売部）
03（3230）6080（読者係）

印　刷　図書印刷株式会社

ISBN4-08-617121-X C0179